Chère lectrice,

Rappelez-vous…

En 1935, Marco Barone perd ses p… lui donnent du travail au restaurant qu… Boston. Antonio Conti a de grands projets pour lui : il veut que Marco épouse sa fille Lucia… Mais une scandaleuse passion en décide autrement : amoureux fou d'Angelica Salvo (fiancée à Vincent, le fils d'Antonio) Marco s'enfuit avec elle. Nous sommes le 14 février, jour de la Saint-Valentin, symbolique s'il en est.

La colère des Conti n'a pas de bornes. Blessé dans son orgueil, Antonio rompt avec les Barone. Quant à Lucia, folle de rage, elle maudit Marco et toute sa descendance, auxquels elle promet des Saint-Valentin noires et douloureuses, en souvenir de la trahison.

Des amours de Marco et Angelica vont naître Carlo, Paul et Luke… et une formidable réussite économique et sociale grâce au business qu'ils ont lancé : Baronessa Gelati. *Lorsque Carlo atteint l'âge de se marier,* Baronessa Gelati *est au top 500 des plus grosses fortunes mondiales. Carlo épouse alors Moira Reardon, fille du gouverneur du Massachusetts. Le couple aura huit enfants.*

Au moment où s'ouvre la saga Les Barone et les Conti, *nous sommes en 2003. Les huit héritiers Barone sont désormais adultes, riches et habitent toujours Boston, près de Carlo et Moira. Marco, Angelica, Vincent sont morts. Mais Lucia vit encore et elle n'a toujours pas pardonné.*

Résumé des volumes précédents…

Avec Nicholas (L'aîné des Barone), *puis Colleen* (La brûlure du passé), *vous êtes entrées dans le monde brillant et farouche des Barone. Des Conti, vous avez fait la connaissance dans de sombres circonstances : ont-ils commandité le sabotage de la dernière opération de communication et de prestige de* Baronessa *? En tout cas, l'image de la célèbre société en a sérieusement pâti et c'est Gina qui a dû s'employer à redorer son blason, avec le consultant Flint Kingman, qu'elle a finalement épousé* (Les feux du désir). *Une tout autre facette de l'univers des Barone vous a été révélée par la vie discrète et passionnée de Rita Barone, infirmière, dans* Un lien secret. *Toute dévouée à son exigeant métier, Rita songeait peu à l'amour. Pourtant, dans le milieu de l'hôpital, elle a trouvé un admirateur aussi secret et ardent qu'elle… Le mois dernier, le ciel s'est de nouveau assombri pour les Barone : une trahison établie, des bureaux qui flambent, Emily amnésique mais menacée par les informations qu'elle détient sans le savoir…, avec* Secret sur un scandale, *la passion n'allait pas sans frissons. Mais voilà que l'émotion pure a soudain submergé le clan Barone : quand Alex Barone a rencontré Daisy Cusak, il n'a plus été question que de sentiments profonds, généreux et éternels… N'empêche, business is business, et les affaires furent de nouveau au premier plan dans le clan Barone. Qui a reçu et chaperonné la lauréate du prestigieux concours organisé dans le cadre du relancement marketing de* Baronessa *? Bien malgré lui, Joe Barone — ténébreux, solitaire Joe Barone — a endossé le rôle dans* Destins croisés… *et ça lui a porté chance. Comme à l'aventurier du clan, le voyageur et le tombeur, qu'on soupçonnait de ne jamais pouvoir se fixer quelque part et avec quelqu'un : finalement,* La dernière passion *de Daniel Barone fut la bonne, en la personne d'une ravissante bibliothécaire. A ces couples désormais heureux, en succède un autre qui ne semble pas avoir toutes les chances de son côté : il s'agit du sheikh Ashraf ibn-Saalem, prince arabe, industriel richissime qui, en dépit de son extraordinaire pouvoir de séduction, considère toutes les femmes comme des traîtresses ; et Karen Rawlins, jeune femme farouche et indépendante qui n'accorde guère de crédit aux hommes. A priori, ces deux-là n'ont qu'un point commun : chacun désire ardemment un enfant, d'où leur* Contrat princier…

… Et ils l'ont eu, bonne nouvelle !

Ce fut au tour de Reese, le Milliardaire et rebelle, *de faire son apparition. Ou plutôt sa réapparition. Car rien moins que treize ans se sont écoulés depuis qu'il a rompu avec sa famille — et surtout avec Célia, son amour de jeunesse si mal vue par le clan. Parti en mer, on ne l'a plus vu. Pourtant, loin des yeux mais pas loin du cœur, Reese a toujours nourri le projet fou de retrouver Célia et de renouer avec elle leur grande passion de jadis.*

Célia a finalement choisi de suivre son Milliardaire et rebelle.

Ce mois-ci, nous retrouvons Claudia, déjà rencontrée dans un épisode précédent. Elle a été mandatée par sa famille pour accompagner Ethan Mallory, lui-même mandaté par les Conti, dans ses investigations. Car il est grand temps d'éclaircir certains événements qui nuisent au pouvoir et à la splendeur des Barone, tandis qu'ils souillent la réputation des Conti.

La saga Les Barone et les Conti *approche de son dénouement. Ne manquez pas le dernier épisode de cette fabuleuse saga, en décembre 2004, et découvrez tout, tout, tout sur les Barone et les Conti — deux familles désunies par l'orgueil… Et bientôt réconciliées par la passion ?*

La responsable de collection

EILEEN WILKS

Eileen Wilks sait ce que c'est qu'un roman : sa famille est tombée dedans il y a cinq générations, pour de vrai, quand son arrière-arrière-grand-mère a vécu les péripéties d'une aventure qui l'a menée jusqu'au Texas, en chariot bâché, juste après la Guerre de Sécession. Une autre guerre a jeté son père, un homme du Sud, dans les bras d'une séduisante ennemie, autrement dit une Yankee, une fille du Nord. Tout aurait dû les opposer ; ils sont pourtant tombés amoureux fous. Et, de nouveau, l'aventure ! Pendant vingt ans, ils ont voyagé, s'établissant dans trois pays différents et déménageant de ville en ville avec leurs deux enfants et ce qui les accompagnait de chiens et chats. Avant de retourner au Texas, et de s'y poser enfin, pour vingt ans encore.

Elevée comme une nomade par ses parents, Eileen n'imaginait pas plus qu'eux se poser avant longtemps. Mais elle a découvert l'écriture — et avec l'écriture, le plaisir d'une immobilité savoureuse, intime, qui n'empêche pas de voyager. Dans sa tête. Et pour explorer les chemins du cœur.

Cet ouvrage a été publié en langue anglaise
sous le titre :
WITH PRIVATE EYES

Traduction française de
FLORENCE MOREAU

Originally published by SILHOUETTE BOOKS,
division of Harlequin Enterprises Ltd.
Toronto, Canada

Photo de couverture :
© JOE CORNISH / GETTY IMAGES

83-85, boulevard Vincent-Auriol, 75013 PARIS — Tél. : 01 42 16 63 63
Service Lectrices — Tél. : 01 45 82 47 47
ISBN 2-280-08343-4 — ISSN 0993-443X

EILEEN WILKS

Passion pour une héritière

Collection Passion

éditions Harlequin

PRÉSENTATION DES PERSONNAGES

Faites connaissance avec les membres des deux puissantes familles ennemies, les Barone et les Conti. Ce mois-ci…

QUI SONT-ILS ?

Claudia Barone :

Nièce de Carlo et fille de Paul, elle est celle qui trouve des solutions à tous les problèmes de la famille Barone, mais sa vie sentimentale est un parcours d'obstacles. Aucun de ses petits amis n'a tenu plus de quatre mois : trop impressionnés par la beauté et la force de caractère de Claudia, ils ont déclaré forfait.

Ethan Mallory :

Il a grandi dans les quartiers pauvres en rêvant de conquérir les jolies blondes inaccessibles de la société chic de Boston. Il a atteint son but… mais sans trouver le bonheur pour autant. Aussi compte-t-il bien garder ses distances avec Claudia Barone, aussi blonde que chic et jolie.

Derrick Barone :

Mieux que personne, il sait qu'on s'épuise en vain à essayer de changer.

1.

Oncle Thomas lui avait toujours prédit que son sens de l'humour finirait par lui attirer des ennuis. Et ce jour-là était peut-être arrivé, pensa Ethan.

— J'aimerais commencer aussi rapidement que possible, affirmait la belle blonde assise en face de lui, de l'autre côté du bureau, large sourire à l'appui. Je vous assure que cela fera un formidable article.

Jusque-là, il avait laissé Claudia Barone s'exprimer tranquillement et lui assurer, en le regardant droit dans les yeux, qu'elle était journaliste d'investigation ! Rien que ça ! Pourquoi était-elle venue lui rendre visite aujourd'hui à l'agence pour lui débiter un si gros mensonge ? Telle était la question qui lui brûlait les lèvres et le retenait d'éclater de rire. L'heure n'était pas encore venue de démasquer la mystificatrice.

— Une minute ! dit-il alors. Je ne vous ai pas encore donné mon accord.

A cet instant, la prétendue journaliste croisa les jambes, faisant crisser la soie qui gainait ses longues jambes fuselées, puis demanda d'un ton languide :

— Comment vous persuader d'accepter ?

Et si la solution passait par ses jambes ? s'interrogea cyniquement Ethan.

Dès qu'elle s'était matérialisée sur le seuil de son bureau, cintrée dans un tailleur rouge vif, il n'avait plus été mu que par l'obsession de l'inviter à s'asseoir en face de lui afin de vérifier jusqu'où remontait l'ourlet de sa jupe — une jupe un tantinet trop courte pour cet ensemble classique.

Claudia Barone possédait sans conteste une paire de jambes extraordinaires. Des jambes comme il en avait rarement vu et susceptibles d'allumer chez un homme les plus vifs fantasmes. Le seul problème, c'était qu'elle le savait ! La preuve : elle ne cessait de les croiser et de les décroiser…

— Je doute que vous y parveniez, répondit-il.

Nullement découragée, son interlocutrice répéta son incroyable fable avec un enthousiasme fort convaincant, faisant virevolter dans les airs ses longues mains manucurées pour prêter davantage de foi à ses mensonges.

Quelle femme singulière ! songea Ethan à la fois fasciné et agacé. Sa posture était impeccable — épaules redressées, dos bien droit — et elle s'exprimait d'un ton mesuré. En revanche, ses gestes étaient aussi appuyés que la couleur de son tailleur.

Il connaissait Claudia Barone depuis dix minutes à peine, mais il pouvait déjà affirmer que la jeune femme était pétrie de contradictions. En apparence, elle correspondait au prototype de la blonde élégante qui parade à la une des magazines de mode. Teint pâle et silhouette longiligne — à la limite de la maigreur — elle était dotée d'yeux bleus et de traits d'une beauté classique, à l'exception toutefois de son nez aquilin, qui révélait la personnalité affirmée de la demoiselle et conférait à son visage un charme tout particulier.

Sa chevelure couleur de miel était nouée en un chignon lisse et bas, mais c'était une baguette dorée qui le traversait de part et d'autre pour le maintenir en place — et non les épingles discrètes généralement d'usage pour une coiffure si sage. Enfin, la coupe de son tailleur était certes tout à fait conventionnelle… mis à part la jupe, trop courte et la couleur, dont l'éclat n'était pas sans rappeler le gloss rouge vif qu'elle avait appliqué sur son adorable bouche, aussi fraîche qu'un bourgeon de rose.

Une bouche de laquelle sortaient des mensonges dits d'une voix proprement envoûtante, dont les sonorités graves et chaudes lui évoquaient des souvenirs qu'il ne souhaitait absolument pas exhumer.

Pourtant, outre la voix, difficile de faire abstraction de la même blondeur qui caractérisait Claudia et Bianca, son ex-femme, même si cette dernière recourait pour sa part aux vertus de la coloration. Tiens, se demanda-t-il surpris, pourquoi était-il donc certain que les reflets couleur de soleil qui illuminaient les cheveux de Claudia étaient naturels ? Après tout, il n'en savait rien. Et le seul moyen de vérifier aurait été de…

Assez ! s'enjoignit-il en sentant son corps s'émoustiller à l'idée d'une investigation plus poussée sur la personne de Claudia. Ne se rendait-il pas compte qu'il avait affaire à une Bianca bis ?

Au-delà de cette voix de contralto imputable à leurs origines italiennes, les deux femmes, issues du même milieu huppé bostonien, en partageaient les intonations et les tics de langage. Un milieu bien éloigné de sa modeste agence de détective privé !

Tapotant son bureau du bout des doigts, Ethan adressa un sourire en coin à Claudia et demanda :

— Comment pouvez-vous intituler votre article « *Une journée dans la vie d'un détective privé* », si vous avez l'intention de me suivre pendant toute une semaine ?

— Il s'agit d'une journée recomposée, éluda-t-elle. Une véritable journée pourrait se révéler fort décevante pour les lecteurs, car toutes vos journées ne sont pas forcément représentatives de votre travail. Non, il est préférable de choisir différents moments sur plusieurs jours pour établir ensuite un florilège de votre semaine.

— Dans ces conditions, je vous conseille d'intituler votre article : « *Une journée typique* ».

— C'est effectivement une bonne idée, je vais y réfléchir. Quel qu'en soit le titre, je puis vous assurer que mon article vous garantira une publicité extraordinaire. Et qui plus est, gratuite. Eh bien, qu'en dites-vous ?

— Difficile de refuser de la publicité gratuite, commença-t-il lentement, avant de lui asséner soudain, en rivant son regard au sien : le seul problème, c'est que vous n'êtes pas journaliste !

— Qu'est-ce qui vous permet d'affirmer cela ?

La contre-offensive avait immédiatement fusé, sans même un battement de cils de la part de l'adorable menteuse.

Peut-être était-ce la désinvolture de la part de Claudia qui avait finalement poussé Ethan à lui révéler qu'il n'était pas dupe de son jeu. Ou bien ce fameux sens de l'humour contre lequel son oncle l'avait mis en garde. A moins que ce ne fût à cause de ses jambes — des jambes aussi longues que l'échelle de ses rêves et qui lui faisaient tourner la tête.

— Pour commencer, vos chaussures, répondit-il d'un ton tranquille.

— Pardon ? dit-elle, intriguée, en jetant machinalement un coup d'œil vers ses escarpins en cuir rouge. Dois-je en conclure que vous ne les trouvez pas convenables ?

— Rassurez-vous, elles sont parfaites ! Le seul petit inconvénient, c'est qu'aucun journaliste — mis à part peut-être les stars de la télévision — ne pourraient s'offrir des chaussures italiennes confectionnées sur mesure par un créateur. Votre manteau non plus ne correspond pas aux modestes gages d'un reporter.

— Préjugés ! répliqua-t-elle. Aujourd'hui, grâce aux soldes et aux opérations de déstockage, toutes les femmes peuvent s'offrir des chaussures ou des vêtements de marque. Il suffit d'être un peu attentive. Pourquoi une journaliste devrait-elle être dénuée de goût ?

— Il ne s'agit pas de goût mais de prix, précisa-t-il d'un ton pince-sans-rire.

— Je comprends, c'est la couleur qui vous choque, enchaîna-t-elle sans prêter garde à ses propos. Toujours est-il qu'elles sont très confortables. Et d'abord, qu'y connaissez-vous en la matière ?

— Pas grand-chose, sûrement, mais en raison de mon appartenance sociale, je sais distinguer les chaussures bon marché des chaussures hors de prix — comme les vôtres.

— Etonnant ! En général, les hommes ne font pas attention à ce genre de détails, décréta-t-elle avant d'ajouter d'un ton perfide : A moins que vous ne soyez intéressé vous-même par les vêtements féminins et…

— Je vous rassure, non ! trancha-t-il d'un ton maussade.

Un sourire spontané illumina alors le visage de Claudia Barone qui s'empressa de préciser :

— Vous m'en voyez ravie, encore que cela ne me regarde nullement…

N'était-il pas grand temps de prendre congé de l'importune ? pensa-t-il sans plus écouter son bavardage. Car il se connaissait : il allait finir par accepter cette enquête absurde de la part d'une personne qui n'était absolument pas journaliste. Son oncle — encore lui ! — avait également souligné sa propension à céder aux caprices les plus extravagants des personnes qui le fascinaient. Et l'en avait mis en garde !

Reculant sa chaise, Ethan se leva brusquement.

— Vous n'avez pas besoin de prétendre être journaliste, vous savez, déclara-t-il alors.

— C'est-à-dire ? demanda-t-elle en le voyant, surprise, contourner son bureau. Cela signifie-t-il que vous me laissez enquêter sur vous ?

— Cela signifie que beaucoup de femmes trouvent les détectives privés séduisants, répondit-il d'un ton badin, tout en laissant courir un regard de convoitise sur son corps.

Ses seins étaient hauts et relativement petits, sa taille svelte, ses hanches bien dessinées et quant à ses jambes… Bon, inutile de fantasmer, il devait mettre cette charmante créature à la porte de chez lui ! Pourtant, il s'entendit ajouter :

— Mais peu d'entre elles sont aussi ravissantes que vous !

Là-dessus, il se pencha vers elle tout en posant les mains sur les accoudoirs du fauteuil où elle trônait. Immédiatement, Claudia plaqua le dos contre le dossier et lui décocha un regard méfiant.

— Je crains que vous n'ayez mal interprété mes propos, se défendit-elle.

— Ne soyez pas troublée, lui dit-il d'un ton langoureux, en se rapprochant un peu plus d'elle.

La poitrine de Claudia Barone montait et descendait à un rythme accéléré sous sa veste rouge. Il la gratifia alors d'un sourire narquois et ajouta :

— Je suis flatté par votre démarche et je suis certain que nous pouvons trouver un moyen de faire plus ample connaissance, vous et moi, sans recourir à ce prétexte minable d'une pseudo-enquête.

Vus d'en haut, ses yeux se révélaient différents, constata-t-il. Les iris, d'un bleu azur, étaient entourés d'un cercle plus foncé, presque vert. Le regard gourmand d'Ethan glissa lentement vers les lèvres sensuelles de Claudia… A cet instant, elle les humecta du bout de sa langue pointue et rose. Les reins d'Ethan se creusèrent de désir… et il retint soudain un cri de douleur ! Ah, la petite rouée ! Elle était en train de lui écraser le pied avec son talon aiguille rouge !

— Vous devriez avoir honte de votre proposition, lui asséna-t-elle. L'intimidation sexuelle, ce n'est vraiment pas fair-play.

— Fair-play ? Et vous trouvez peut-être correct de me provoquer avec vos jambes, ou bien avec ce mouvement subreptice de langue sur vos lèvres ?

Elle rougit légèrement sous l'accusation, mais releva néanmoins le menton.

— De ma part, il ne s'agissait nullement d'intimidation.

— De la mienne non plus, dit-il en se redressant subitement avant d'ajouter d'un ton plus rude : A moins que vous ne vouliez poursuivre votre démonstration, je crains de ne devoir prendre congé de vous.

Sans faire le moindre geste, Claudia déclara posément :

— Depuis le début, vous saviez qui j'étais, n'est-ce pas ?

— Evidemment ! Comme vous ne l'ignorez certainement pas, je suis chargé de l'enquête concernant l'incendie qui s'est déclenché à la fabrique de glaces *Baronessa*. J'ai une photo de vous dans mon dossier.

— Pourquoi ? Je ne travaille ni à la fabrique ni au siège de la société *Baronessa*.

— Mais vous êtes une Barone et moi, un homme qui ne fait pas les choses à moitié.

De toute façon, pensa-t-elle en soupirant, étant donné que sa photo faisait régulièrement la une des journaux bostoniens à la rubrique mondaine, enquête ou non, il devait la connaître. Elle se pencha soudain en avant, et Ethan, toujours campé devant elle, bras croisés, put alors jouir d'une vue plongeante sur son décolleté.

— Ecoutez, cet incendie, c'était…

Brusquement elle s'interrompit pour reprendre sur un ton plus vif :

— Cessez donc de me fixer de cette façon ! Je sais qu'en votre qualité d'homme, vous pensez au sexe au moins sept fois par minute, et d'ailleurs, je ne vous en tiens pas rigueur, vous ne pouvez rien contre votre nature. Mais pour l'amour du ciel, tâchez de vous concentrer un peu sur ce que je vous dis.

— En ma qualité d'homme, je peux faire deux activités à la fois, répliqua-t-il d'un ton ironique. Vous écouter et vous regarder, je suis multitâche.

Elle ne put retenir un éclat de rire, un rire rauque et sensuel, comme sa voix… Immédiatement, des frissons picotèrent les reins d'Ethan.

— Puisque nous mettons cartes sur table, à moi de vous dire ce que je sais de vous ! commença-t-elle. On vous a chargé d'enquêter sur les fâcheux événements survenus dernièrement à la société *Baronessa*, à savoir le sabotage d'un nouveau sorbet lors de son premier lancement et l'incendie criminel de la fabrique. Pour le compte de qui travaillez-vous ?

— Le secret professionnel auquel je suis tenu m'empêche de vous répondre.

— Soit ! Il n'empêche que vous avez besoin de la coopération des employés de la fabrique *Baronessa* pour enquêter. Je peux faire en sorte qu'ils coopèrent si en échange vous acceptez que je vous escorte.

— Non ! répliqua-t-il d'un ton catégorique. Et n'essayez pas de me soudoyer par un chèque, c'est inutile, je ne cède jamais au chantage.

— Loin de moi cette idée ! s'indigna-t-elle. Et d'ailleurs, si j'avais l'intention de vous corrompre, ce serait la première chose que j'aurais faite.

— Votre frère, lui, a bien tenté de le faire.

— Derrick ? Voilà qui est fort curieux ! C'était moi la personne censée entrer en contact avec vous. Bref ! dit-elle, non sans ajouter alors d'un petit air mutin : J'aimerais vous poser une dernière question. Si vous aviez cru que j'étais journaliste, auriez-vous accepté ma proposition concernant l'article ?

— Non... Du moins, je ne crois pas. Mes enquêtes comportent un caractère privé et je ne souhaite pas que les journalistes se mêlent de mes affaires.

Elle soupira avant de conclure :

— Etes-vous toujours aussi désobligeant, monsieur Mallory ?

— Si vous acceptez de coucher avec moi, vous constaterez que je peux être *très* obligeant.

Ces paroles lui avaient échappé avant même qu'il n'en réalise la portée. Secourable, Claudia observa alors, avec un large sourire poli :

— Je pense que vos propos ont dépassé vos pensées.

Là-dessus, elle ouvrit son énorme sac à main, et ordonna :

— Souriez !

Elle tenait à la main un appareil numérique et...

— Attendez ! s'écria-t-il en masquant son visage avec sa main.

Trop tard ! Le flash avait fonctionné avant qu'il n'ait le temps de réagir.

— Pour ma collection privée ! précisa-t-elle en enfilant son manteau. Merci pour le temps que vous m'avez accordé, monsieur Mallory. Si vous changez d'avis en ce qui concerne notre collaboration, appelez-moi. Je suis certain qu'un homme aussi minutieux que vous doit avoir mon numéro de téléphone dans l'un de ses précieux dossiers.

Une dernière fois, il lança un coup d'œil aux superbes jambes de la jeune femme avant que celle-ci ne disparaisse de sa vue.

Finalement, pensa Ethan, elle n'était pas aussi maigre qu'il l'avait cru initialement et son postérieur était ferme et rebondi à souhait. Oui, Claudia Barone avait un corps merveilleux, des jambes incroyables...

Aussi incroyable que son ego ! se dit-il alors en se ressaisissant brusquement. Quelle petite vaniteuse ! Pensait-elle réellement qu'il allait accepter qu'elle le file ? Il aurait vraiment été le roi des idiots.

Le téléphone en était à sa troisième sonnerie lorsqu'il décrocha le combiné. C'était Salvatore Conti, son client actuel et ex-beau-père, le chef d'une famille dont le nom figurait sur la liste des dix premiers ennemis des Barone.

— Bonjour Sal, dit-il. Tu ne devineras jamais qui était dans mon bureau il y a à peine une seconde.

*
* *

A 20 h 30, ce soir-là, Claudia était en train de verser le contenu de plusieurs bouteilles de lait dans une bassine. Elle se trouvait dans sa cuisine en compagnie de sa meilleure amie, Stacy Farquhar, qui louchait d'un œil suspect vers sa préparation.

La cuisine de Claudia occupait le fond de l'appartement et était séparée de la salle à manger par une pergola recouverte de lierre. La table du coin séjour consistait en un rectangle de verre posé sur une structure métallique. Elle pouvait accueillir jusqu'à douze invités, ce qui arrivait parfois. Ce soir, en revanche, seuls une boîte de pizza vide, deux assiettes en carton et quelques restes de champignons étaient disséminés sur la grande surface en verre.

— Veux-tu bien me donner l'huile ? demanda Claudia à Stacy. La bouteille se trouve dans le placard du haut.

— De l'huile dans du lait ? fit Stacy d'un ton fort sceptique.

— Je sais que tu n'aimes pas le lait, Stacy, mais en l'occurrence, il ne s'agit pas de le boire. Lorsque nous aurons trempé nos pieds dans l'huile d'olive et le sel, nous les laverons avec du lait. Et maintenant, pour l'amour du ciel, cesse de ronchonner et donne-moi l'huile.

Non sans lever les yeux au ciel, Stacy s'exécuta.

— Je me demande pourquoi je me laisse encore entraîner dans tes expériences hasardeuses, marmonna-t-elle. Après le masque aux carottes, j'avais bien juré de ne plus m'y laisser prendre... Tiens, l'impression est terminée.

Stacy se précipita alors dans la chambre de Claudia, et en ressortit quelques secondes plus tard, secouant, pour la faire sécher, la photo qui venait de sortir de l'imprimante.

— Dis donc, fit Stacy en contemplant enfin le cliché, tu ne m'as pas tout dit !

— Pardon ? Je t'assure que je t'ai raconté tout ce qui s'est passé entre Ethan Mallory et moi ! répondit Claudia non sans vérifier si le lait était assez chaud.

Non, il méritait encore de rester un peu sur la plaque.

— Tu m'avais dit que Mallory ressemblait à un ours ! fit Stacy en posant la photo sur le comptoir. Or, je constate que c'est un beau gosse, tout le contraire d'un ours !

Claudia baissa les yeux vers la photo... Ses cheveux châtains et épais auraient frisé s'ils n'avaient pas été coupés si courts, pensa-t-elle. Quant à ses yeux noisette encadrés de cils longs et noirs, ils tranchaient curieusement sur ce visage viril.

— Il est d'une taille impressionnante, c'est pour cela qu'il m'a rappelé un ours, voulut se justifier Claudia. Et puis il est solide comme un roc, on se demande ce qui pourrait l'ébranler. Je suppose que c'est lorsqu'il s'est penché au-dessus de moi qu'il m'a évoqué un ours. Bon, veux-tu sortir des serviettes du tiroir ?

— Comment ça, il s'est penché sur toi ? interrogea Stacy tout en lui tendant ce qu'elle lui avait demandé.

— Je t'ai dit qu'il avait tenté de m'intimider.

— Vraiment ? C'était bien mal te connaître !

— Incontestablement, c'est un homme opiniâtre. Il ne va pas être facile d'obtenir sa coopération.

— A en juger par la photo, il a l'air intelligent, bien bâti, beau gosse. Est-ce un bon détective ?

— Probablement, fit Claudia en reprenant la photo. Décidément, ses cheveux sont trop courts. Je le verrai bien avec quelques boucles. Mais cela entamerait son image virile, j'imagine.

— Conclusion : il est grand, sexy et macho. Un véritable stéréotype. Le tien, en somme.

— Je ne crois pas qu'il soit aussi bon détective qu'il veut s'en donner l'air, décréta Claudia pour changer de sujet. Il mène des enquêtes sur les cols blancs aux mains sales, c'est sa spécialité, mais...

Brusquement lasse de cette conversation, elle annonça :

— Le lait est prêt !

Stacy prit alors place sur une chaise, plaça ses pieds dans la bassine remplie d'huile d'olive et de gros sel que Claudia lui destinait avant d'adresser un regard en biais à cette dernière.

— Je te conseille de ne pas chercher à revoir ce détective, lui dit-elle.

— Je ne vais pourtant pas avoir le choix, répliqua Claudia en plongeant à son tour les pieds dans une bassine remplie de la même mixture. Allons, ne t'inquiète pas pour moi ! Tu sais bien que j'ai décidé de changer.

— Ce qui ne signifie pas que tu as *déjà* changé ! observa finement Stacy.

— Je t'assure que tu te tracasses pour rien, affirma Claudia. D'ailleurs, tu sais bien que je sors avec Neil.

— Mouais ! Vous êtes allés quatre ou cinq fois ensemble au restaurant, la belle affaire. Et, entre nous soit dit, Neil ce n'est pas vraiment une panacée... Ce serait plutôt un fléau !

— Et moi qui croyais que tu l'appréciais ! s'étonna Claudia en retenant un sourire devant le franc-parler de son amie.

— Neil est sympathique, mais je t'encourage tout de même à la prudence, fit Stacy, conciliante. Mm, finalement, ta mixture est très relaxante.

— Heureuse de te l'entendre dire ! Tu es toujours si sceptique ! C'est un remède de ma grand-mère Angelica, il n'y a rien de tel !

C'était là un argument de poids car Stacy adorait sa grand-mère. Les deux amies se relaxèrent un long moment en silence, frottant doucement leurs pieds l'un contre l'autre dans l'huile grumeleuse, perdues dans leurs rêveries personnelles jusqu'à ce que Stacy demande :

— Crois-tu réellement que ta stratégie va fonctionner et que tu parviendras à convaincre Ethan Mallory de te laisser enquêter à ses côtés ?

— Je ne sais pas, répondit Claudia en soupirant. Aura-t-il le choix ? Néanmoins, il est très entêté. Je suis certaine que, même s'il accepte, il essaiera de me duper.

Juste après sa rencontre avec Mallory, Claudia avait adressé par courrier électronique à son cousin Nicholas, le président de la société *Baronessa*, la photo qu'elle avait prise du détective. Nicholas avait alors renvoyé la photo aux responsables des différents services, leur ordonnant de n'autoriser aucun de leurs employés à s'entretenir avec Ethan Mallory si ce dernier n'était pas accompagné par un membre de la famille Barone lors de ses investigations.

En d'autres termes, Claudia ! C'était ce qui avait été décidé deux jours plus tôt, lors du conseil d'administration, lorsque les Barone avaient appris qu'une mystérieuse personne avait chargé Ethan Mallory d'enquêter sur les tragiques événements qui avaient affecté la société familiale. Contrairement au reste du clan, Claudia disposait du temps et de l'énergie nécessaires pour se consacrer à cette tâche. En outre, elle était réputée au sein de la famille pour son aptitude à résoudre les affaires délicates. Et, en l'occurrence, l'affaire avait besoin de doigté !

— Et qu'as-tu prévu pour l'empêcher de te rouler ? demanda Stacy. Car je suis certaine que tu as prévu quelque chose.

— Je mise sur ma ténacité, à laquelle il ne s'attend probablement pas, et sur sa lassitude. Je le talonnerai dans les moindres de ses déplacements à l'intérieur de l'usine, ce que, selon toute vraisemblance, il ne va guère apprécier. Pour ma part, je vais m'amuser comme une petite folle. Je n'ai jamais joué au détective jusque-là. Je trouve cela fort excitant.

Là-dessus, elle plongea les pieds dans la bassine commune remplie de lait chaud.

— N'oublie tout de même pas que tu es censée découvrir l'identité de la personne qui emploie ton détective, lui rappela Stacy.

— Je sais ! Et je sais aussi que ma famille compte sur moi ! Rassure-toi, j'ai bien conscience que l'affaire est grave. Bien plus que je ne le croyais au départ. Ma sœur a tout de même failli périr dans l'incendie volontaire !

— A propos, se souvient-elle de quelque chose à présent ?

— Non. C'est toujours le blanc total concernant cette fameuse soirée. Le choc, certainement. Telle est du moins l'opinion des médecins.

Claudia se tut, pensive. Elle avait l'intuition que quelque chose de louche se tramait derrière tout cela. Mais quoi ?

Elle s'était toujours enorgueillie de son appartenance à la famille Barone et de la prospérité de la société *Baronessa*, dont les dividendes la mettaient, elle et les autres membres du clan, à l'abri du besoin. Et voilà que de bien curieux événements avaient assombri l'horizon. D'abord le sabotage, puis l'incendie criminel... Les deux incidents étaient-ils liés ? Quelqu'un au sein de la famille avait-il endossé le costume du traître ? La quantité de questions sans réponse la laissait perplexe et il lui manquait des pièces maîtresses pour reconstituer le puzzle.

Dieu soit loué, même si elle souffrait d'une amnésie partielle, Emily avait survécu à l'incendie. Et puis, elle avait rencontré un homme charmant durant sa convalescence, la preuve qu'à quelque chose malheur était bon. Néanmoins, au lieu de se réjouir pleinement du dénouement heureux et inattendu du drame, Emily était parfois gagnée par des accès de mélancolie, vraisemblablement en rapport avec ce qui s'était passé la nuit de l'incendie et dont elle ne parvenait pas à se souvenir.

Et puis il y avait Derrick...

Claudia soupira. Parfois, dans des moments de découragement extrême, elle en venait à se demander si du sang Barone coulait réellement dans ses veines. Evidemment, elle avait ensuite honte de ses pensées, et se les reprochait vivement. Mais tout de même... Parmi leur famille de battants, il était le seul à montrer des signes de faiblesse, à ne pas être réellement à la hauteur de ce clan si brillant. Oh, elle ne doutait pas qu'il en souffrait ! Néanmoins, ne pouvait-il donc faire aucun effort ? Sa désinvolture l'exaspérait.

Comme si elle lisait dans les pensées intimes de son amie, Stacy déclara alors d'une voix douce :

— Tu ne peux pas tout résoudre pour tout le monde, Claudia.

— Je suis bien déterminée à essayer ! répondit cette dernière d'un ton défiant.

Ce fut alors que le téléphone se mit à sonner. Non sans marmonner, Claudia se sécha rapidement les pieds et alla décrocher.

— Allô ? dit-elle d'assez mauvaise humeur.

— Bien joué pour la photo ! Vous savez, j'ai réfléchi et finalement, j'accepte votre proposition.

Son interlocuteur ne s'était pas présenté, mais comment oublier cette voix ? Une voix qui transperça immédiatement son être et la fit frissonner…

— Je ne m'attendais pas à entendre reparler si rapidement de vous, répondit-elle cependant avec assurance.

— Il m'a semblé plus sage de capituler et de vous appeler au lieu de m'obstiner dans une enquête solitaire pour voir toutes les portes se refermer devant moi. Car je présume que ma photo va être placardée sur tous les murs de la société *Baronessa*, et que je n'ai aucune chance d'obtenir un renseignement quelconque sans votre bénédiction.

— On voit que les déductions, c'est votre rayon ! dit-elle d'un ton moqueur.

— La déduction passe par l'enquête. Or, j'ai besoin d'interroger le personnel de la fabrique pour faire progresser la mienne. Je m'en remets donc à vous.

— Je ne puis qu'approuver une aussi grande sagesse. Toutefois, entendons-nous bien : il ne s'agit pas de coucher avec moi, n'est-ce pas ?

A ces mots, Stacy, suspendue aux lèvres de Claudia, manqua s'étrangler et écarquilla de grands yeux.

— Ce n'est pas une condition *sine qua non*, répondit non sans ironie son interlocuteur.

— Parfait ! En ce qui concerne votre client…

— Lui non plus ne fait pas partie du contrat !

— Comme vous voudrez ! Quand commence notre collaboration ?

— Demain matin, 9 heures. Je passerai vous prendre chez vous.

— Entendu, je vous attendrai devant la porte de mon immeuble, car il est difficile de se garer devant chez moi. Je présume qu'il est superflu de vous donner mon adresse, elle doit déjà figurer dans vos fichiers.

Pour toute réponse, il émit un petit rire et ajouta qu'il conduirait une Buick grise, un peu cabossée pour qu'elle le repère sans difficulté.

Cet homme était dangereux, conclut Claudia en raccrochant. Son rire profond et rocailleux l'avait fait vibrer jusqu'au plus profond de son être…

— Piètre adversaire ! dit-elle en se ressaisissant à l'adresse de Stacy. Il capitule au bout de six heures…

— N'es-tu pas heureuse d'avoir obtenu gain de cause ?

— Si, je suis ravie qu'il accepte ma proposition, lui assura Claudia.

Pourtant, quelque chose la tourmentait et l'empêchait de se réjouir réellement. Curieusement, elle ne pouvait se départir d'une impression de malaise et son estomac était tout noué.

Etait-ce la pizza ?

Allons, un peu d'honnêteté, s'enjoignit-elle vivement. Ce qui la tracassait, c'étaient les véritables intentions d'Ethan Mallory. Nul doute que derrière sa capitulation expresse se cachait un dessein bien précis.

Et ce n'était pas tout ! Elle se demandait également comment elle allait réagir, lors de leur prochaine rencontre. Serait-elle en mesure de masquer le trouble qu'il lui inspirait ?

Levant un regard sceptique vers Stacy, elle ajouta alors :

— Je crois néanmoins que notre collaboration sera un véritable challenge.

2.

A 9 heures, le lendemain matin, Claudia se tenait comme convenu devant la porte de son immeuble, plongée dans la lecture d'une demande de subventions sur laquelle elle griffonnait des annotations. Ses doigts étaient littéralement gelés, mais elle détestait feuilleter les pages avec ses gants. Elle espérait surtout que Mallory n'allait pas la faire attendre trop longtemps.

Elle était levée depuis 6 heures du matin, ce qui ne représentait nullement un exploit pour elle. Claudia croyait en la discipline quotidienne et suivait un rituel matinal bien précis : dès le lever, elle se livrait à quelques exercices de yoga, prenait ensuite son petit déjeuner composé d'un yaourt, d'un bol de céréales et de café, puis se douchait. Elle se consacrait ensuite à sa correspondance et ses coups de téléphone. Ce matin, par exemple, elle avait appelé son courtier pour lui donner un ordre de vente, puis elle avait répondu à son courrier électronique, et appelé le directeur d'un centre pour femmes en difficulté, dont elle était la marraine.

La routine, en somme. La seule difficulté sur laquelle elle avait achoppé, c'était le choix de sa tenue. Que portait-on lorsqu'on s'apprêtait à mener une enquête ? Elle était restée une bonne dizaine de minutes indécise devant sa penderie, ce qui ne lui ressemblait guère car Claudia détestait les tergiversations — tout comme elle détestait ne pas être habillée correctement. Elle avait finalement opté pour une tenue décontractée mais sobre : un pantalon et un pull noirs qui lui permettraient de se fondre partout. Bon, elle concédait que sa veste en cuir bleu électrique ne passait pas particulièrement inaperçue, mais tout de même, une veste noire, ç'eût été pour le coup exagéré. En outre, elle s'était chaussée de solides bottines, au cas où Mallory souhaiterait se rendre sur les lieux de l'incendie, c'est-à-dire à l'usine même.

De fait, elle ignorait la façon dont cette journée allait se dérouler puisqu'elle n'avait rien demandé à Mallory à ce sujet. Et pour cause ! pensa-t-elle, agacée, en tapotant son stylo contre sa lèvre inférieure. Entièrement sous le sortilège de sa voix sensuelle et râpeuse, elle en avait tout oublié. A moins que ce ne fût le charme de son rire qui eût opéré. Ou encore le souvenir de ses épaules imposantes…

Un Klaxon impatient l'arracha soudain à ses rêveries. Elle leva les yeux pour découvrir une Buick couleur de métal, tout sauf rutilante, garée en double file. Fourrant en toute hâte ses papiers dans son sac à main, elle se précipita vers le véhicule.

Mallory se pencha pour lui ouvrir la porte de l'intérieur et elle se glissa prestement à côté de lui. Son arrivée fut alors saluée par le Klaxon d'un chauffeur gêné par le stationnement de la Buick. Ethan démarra en trombe.

— Bonjour, lui dit-elle le regard irrésistiblement attiré par sa cravate.

— Salut, répondit-il, laconique.

D'une couleur indéterminée, entre le bleu et le vert, elle n'allait pas du tout avec son costume, qui était du même gris que la Buick — en version propre, Dieu soit loué ! Allons, se dit-elle, la coupe de sa veste était correcte, il ne fallait pas être non plus trop exigeant. Nul n'était censé posséder un sens inné des couleurs !

— Où allons-nous ? lui demanda-t-elle.

— A Huntington Avenue.

— En d'autres termes, au siège de la société *Baronessa*, observa-t-elle.

— Exact, fit-il en lui lançant un regard en coin.

Et pourquoi fallait-il que, après ce bref coup d'œil, son cœur se mette subitement à battre plus fort ? se demanda-t-elle irritée. Que lui arrivait-il ?

Ce matin, à bien observer Ethan Mallory, elle ne lui trouvait plus un physique tellement extraordinaire — si tant est qu'elle l'eût jamais trouvé ! Franchement, ses anciens petits amis n'avaient rien à lui envier.

Sa chevelure était d'un châtain indéfinissable et ses lèvres pas assez charnues. Quant à son nez… Certes, il lui conférait un certain caractère, mais il ne passait pas inaperçu. Pourtant, elle devait bien l'admettre, même si pris individuellement, ses attributs ne correspondaient pas réellement aux canons de la beauté, l'ensemble était assez réussi. Et puis il y avait son corps… Là, rien à redire ! Il était parfait, absolument parfait ! Nul doute que Mallory était un adepte de la culture physique ! ne put-elle s'empêcher de penser.

De nouveau, son regard se concentra sur le visage du conducteur. Elle aurait parié qu'à 17 heures, une barbe naissante ombrageait déjà ses joues. Elle se concentra alors sur ses yeux. L'iris, brun foncé, était moucheté de petits éclats verts, de sorte que de loin, les couleurs se fondaient pour donner une impression noisette, ce qui renforçait la noirceur de ses sourcils, décidément trop foncés par rapport à ses cheveux et trop longs. Et…

… Et elle se rendit soudain compte qu'elle l'observait depuis de longues minutes et que lui, de son côté, peu dupe de l'inspection à laquelle le soumettait sa passagère, arborait un large sourire vaguement narquois.

Troublée, elle détourna le regard. Qui passa du tableau de bord au plancher du véhicule. Lorsqu'elle releva les yeux pour finalement fixer la chaussée, Mallory déclara placidement :

— Ma voiture me sert parfois de bureau ambulant, de sorte que des objets hétéroclites finissent par s'y accumuler.

— D'où la présence de papiers de bonbons et de cannettes vides !

Jetant un coup d'œil par-dessus son épaule, elle se rendit compte que la liste n'était pas exhaustive et ajouta :

— Hétéroclites, en effet ! Un tube de mayonnaise vide, un rubicube… Et je suis certaine qu'en cherchant bien, sous les sièges, on trouverait encore de nombreux trésors.

— Quand je fais le guet, il faut bien que je m'occupe, se justifia Mallory. Soit je mange, soit je joue…

— Et ce bocal vide, là, à quoi vous sert-il ? demanda-t-elle en désignant une boîte de conserve en verre. Ne me dites tout de même pas que vous vous faites aussi réchauffer des plats sur un gaz de camping dans votre Buick !

— Non, ce bocal est destiné à un usage bien précis, déclara-t-il alors d'un air mystérieux.

— C'est-à-dire ?

— Vous tenez réellement à le savoir ? interrogea-t-il d'un ton moqueur. C'est un urinoir d'urgence !

— Très drôle ! dit-elle en haussant les épaules, sans savoir si elle devait prendre cette réponse pour argent comptant.

Voilà qui lui apprendrait à être si curieuse ! Peu désireuse de poursuivre sur cette voie, elle fit alors allusion à la circulation impossible dans Boston. Un sujet bateau qui ne fâchait personne, comme parler de la pluie et du beau temps, en somme.

— Dites-moi, fit soudain Mallory, visiblement peu passionné par les bouchons de Boston, pourquoi votre famille vous a-t-elle désignée comme interlocuteur privilégié pour traiter avec moi ? Vous ne faites pas directement partie de la société *Baronessa*. A part les dividendes que vous percevez sur les bénéfices, vous n'occupez aucun poste. Il me semble que votre cousin, le président de la société *Baronessa*, aurait été un guide plus approprié. Lui, c'est ce qu'on appelle communément une grosse pointure.

— Charmant ! observa-t-elle non sans dérision. Au moins, vous avez le mérite de la franchise. Néanmoins, vous constaterez rapidement que, contrairement à ce que vous pouvez croire, moi aussi j'ai de l'influence. Qui souhaitez-vous rencontrer au siège de la *Baronessa* ? Mon cousin, le président ?

— Oui. En outre, j'aimerais également m'entretenir avec Derrick.

— Mon frère ? Pourquoi ?

Mallory émit un petit rire sarcastique avant de répondre :

— Parce qu'il s'occupe du contrôle qualité ! Si le sorbet a été saboté, cela signifie que le service dont il a la charge a commis une grave erreur. En outre, ce département se trouvait dans l'enceinte de l'usine, avant que celle-ci ne soit incendiée.

Incontestablement... D'ailleurs, Derrick s'en plaignait assez souvent ! A chaque réunion de conseil, il insistait pour que son service soit transféré au siège de la société, car il avait l'impression d'occuper un poste d'une importance moindre que les autres membres de la famille et de ne pas se trouver au cœur de l'action.

Claudia se mordit soudain la lèvre inférieure...

Force était de reconnaître que depuis la fameuse présentation ratée de la dernière flaveur *Baronessa*, Derrick n'était plus lui-même. Néanmoins, chacun avait été secoué par l'ignoble sabotage. Qui avait épicé de poivre noir le sorbet aux fruits de la passion ? Telle était la question qui hantait le clan Barone. D'autant que, pour comble de malchance, l'un des invités avait eu une réaction allergique et avait dû être conduit de toute urgence à l'hôpital. Un fiasco total ! Derrick avait alors affirmé qu'il avait été victime d'un complot tendant à démontrer son incompétence.

— Alors, insista Mallory, pourrais-je m'entretenir avec toutes ces personnes ?

— Assurément !

Seigneur, le trafic allait de mal en pis, pensa-t-elle. A ce rythme-là, ils allaient rester bloqués dans la voiture au moins vingt bonnes minutes avant d'atteindre les bureaux. Bon, elle devait cesser de l'observer à la dérobée ! Pour meubler la conversation, elle demanda :

— Avez-vous déjà votre petite idée sur le coupable ?

— Une petite idée, effectivement, répondit-il d'un air mystérieux.

Puis, tournant son curieux regard bicolore vers elle, il ajouta :

— Selon moi, il s'agit d'une personne qui est réellement malheureuse chez vous, les Barone.

Dieu, que cet homme était déstabilisant ! Il allait directement au but, sans détour. Submergée par une bouffée de chaleur, Claudia déboutonna sa veste, en se demandant qui avait bien pu louer les services d'Ethan Mallory.

— Vous en concluez que l'affaire est d'ordre personnel et qu'il ne faut pas voir derrière cette sombre histoire la main d'un concurrent qui aurait brusquement perdu le sens de la mesure ?

— Je n'exclus pas non plus cette possibilité, répondit-il alors. L'année passée, la société *Baronessa* a gagné de nombreuses parts de marché aux dépens de ses deux principaux concurrents, la société *Snowcream, Inc.* et les établissements Anderson.

Oh, oh... Claudia éprouva soudain un terrible doute : Mallory, était-il au courant de son ancienne liaison avec Drake Anderson ? Elle l'examina avec circonspection... et en déduisit que oui ! Allons, pensa-t-elle pour se rassurer, il n'était sûrement pas au courant de tous les détails de cette malheureuse relation, mais uniquement de la partie un peu trop connue du public — à savoir leur rupture, qui n'avait pas été particulièrement discrète !

— Les établissements Anderson ne vendent pas exclusivement des glaces, monsieur Mallory, rétorqua-t-elle. Contrairement à la société *Baronessa*, qui est spécialisée dans la fabrication et la vente de glaces et sorbets. Je conçois que nous puissions les irriter, mais nous sommes en compétition sur une infime partie de leur chiffre d'affaires. Quant à la société *Snowcream*, je doute que le tout petit creux que nous avons éventuellement creusé dans leur colonne profit ait pu les pousser à une action si radicale.

— Dans le domaine de la rivalité commerciale, on peut rapidement dépasser les limites du raisonnable lorsqu'on se heurte à des sensibilités personnelles. Or, si j'en crois mes renseignements, vous avez été intiment liée à Drake, l'héritier de l'empire Anderson. Entre nous soit dit, je me demande ce que vous pouviez bien lui trouver ! Mais il est vrai que les goûts et les couleurs ne se discutent pas !

Elle accusa le choc, ne sachant si elle devait répliquer vertement ou tout simplement éclater de rire. Ces ultimes propos ne ressemblaient-ils pas à une mini scène de la part de Mallory — qui manifestement connaissait Drake ? L'idée que le mystérieux détective puisse être jaloux de sa relation passée avec Anderson la troubla considérablement. Elle sentit soudain son corps s'embraser... Avant de se rappeler vivement à l'ordre *in petto*.

— Dites-moi, avez-vous réellement un client ? lui demanda-t-elle alors. Je veux dire, une personne qui vous rémunère pour l'enquête que vous menez ? Car, pour parler franchement, je ne serais pas surprise d'apprendre que vous rendez un service à une vieille connaissance.

Il lui jeta un regard en coin, non sans sourciller...

Ses sourcils lui plaisaient énormément, pensa aussitôt Claudia. Ils étaient aussi foncés que ses cils, en forme d'arc, et conféraient beaucoup d'expression à son visage carré.

— Si je comprends bien, vous êtes au courant pour Bianca et moi, lui dit Mallory.

— Oui, répondit-elle, même si le rapprochement n'était pas évident d'emblée, étant donné que Bianca a repris son nom de jeune fille juste après votre divorce, qui remonte à quelques années, si je ne m'abuse ?

Il se contenta de hocher lentement la tête et elle poursuivit :

— Sans vouloir être indiscrète, votre divorce s'est-il déroulé à l'amiable ?

— Quel rapport avec l'histoire qui nous intéresse ?

— Juste pour savoir quels sentiments vous cultivez envers son père, l'industriel Salvatore Conti. Si vous avez une revanche à prendre, s'il a joué un rôle actif dans votre rupture…

Comme il ne répondait pas, se contentant de fixer la route, elle ajouta :

— Votre silence m'indique que vous avez gardé de bonnes relations avec votre ex-femme et sa famille.

— C'est merveilleux, chérie, vous faites les questions et les réponses. Visiblement, les histoires d'amour des autres vous fascinent.

— Eh bien, *chéri*, rétorqua-t-elle vivement, je constate que mes spéculations ne vous fascinent pas moins car, au cas où vous ne vous en seriez pas aperçu, nous venons de dépasser l'immeuble *Baronessa*. Je vous conseille de tourner à l'angle et de revenir sur vos pas.

Ethan mit son clignotant et revint sur ses pas sans piper mot tandis que Claudia savourait sa petite victoire, un sourire ironique aux lèvres.

A peine le moteur coupé, elle bondit hors de la Buick sans attendre que le propriétaire vienne lui tenir la portière. Claudia n'était pas du genre à attendre, pensa Ethan. Elle avait dû savoir courir avant de marcher, et depuis ne s'était plus arrêtée. Et, tandis qu'il verrouillait sa voiture, il la vit, de l'autre côté du trottoir, tapant impatiemment du pied, les mains enfoncées dans les poches de ce blouson d'un incroyable bleu électrique.

— Est-ce vrai ce qu'on raconte ? demanda-t-il en arrivant à sa hauteur. Que vous avez renversé sur Drake Anderson tout un carton de glace fondue lors d'une inauguration commune aux deux sociétés, et ce, devant un public de notables ?

Elle poussa un soupir agacé et répondit :

— La glace était à peine fondue.

Là-dessus, elle lui tourna le dos et s'engouffra dans le vestibule de l'immeuble. Dieu, qu'elle était adorable ! pensa Ethan en lui emboîtant le pas. Un exquis petit diable blond…

— A propos, dit-elle en se retournant vers lui, vous n'avez encore parlé à personne au siège ?

— Pas encore. Pour l'instant, j'avais ciblé mes recherches sur l'usine de fabrication.

— Très bien, nous allons donc voir ce que nous pouvons faire pour vous.

L'immeuble, constitué de poutres d'acier et de parois de verre, était sans nul doute l'œuvre d'un architecte contemporain, se dit Ethan. Pour sa part, il préférait la brique ou la pierre, jugeant les matériaux modernes trop froids. La réception ressemblait à l'entrée d'une banque, avec de nombreuses plantes. D'un pas décidé, Claudia l'entraîna vers les ascenseurs — en verre également —, les bureaux des dirigeants se trouvant au cinquième étage. Une fois à l'intérieur de l'appareil, comme il faisait très chaud, elle retira tout naturellement son blouson… et Ethan retint un soupir de plaisir. Rien de tel qu'une blonde toute de noir vêtue. Aujourd'hui, la masse de sa chevelure tombait en cascade sur ses épaules et compensait le fait qu'elle ne soit pas en jupe, comme hier. Elle était encore plus sexy vêtue et peignée de cette façon, conclut-il. Il avait bien conscience de la dévorer du regard, mais après tout, ne valait-il pas mieux profiter pleinement de sa présence ? Car, une fois qu'il aurait obtenu d'elle ce qu'il souhaitait, il avait bien l'intention de lui fausser compagnie.

— Quelle est la première personne que vous souhaitez rencontrer ? demanda-t-elle. Nicholas ?

— J'ai besoin d'un dossier sur un employé bien précis. Nicholas sera-t-il en mesure de me le procurer ?

— Dites-moi d'abord de qui il s'agit et pourquoi vous avez besoin de ce dossier.

— Bien, dit-il d'un ton résigné en s'appuyant contre la paroi de l'ascenseur. Il s'agit d'un certain Ed Norblusky. Il a été renvoyé pour ébriété sur son lieu de travail, trois jours après le sabotage. Il aurait tenu des propos injurieux sur les dirigeants de l'usine et, après son licenciement, il a littéralement disparu de la circulation.

— Et vous prétendiez ne rien savoir ! s'exclama-t-elle, bluffée. Ce Norblusky…

— A peut-être tout simplement déménagé sans chercher à se cacher. Il arrive souvent que des gens disparaissent sans déclencher un incendie dans l'usine où ils travaillaient. Néanmoins, il convient d'enquêter sur lui. J'ai besoin des coordonnées de son ancien employeur et de sa famille proche, de son numéro de sécurité sociale, bref, de toutes les informations susceptibles de figurer dans son dossier.

— Je peux convaincre Nicholas de vous le confier, nous nous entendons bien, lui et moi.

— Parlez-moi de Nicholas.

— C'est un homme qui a le sens des responsabilités, répondit-elle au moment où les portes de l'ascenseur s'ouvraient. Il a toujours un objectif à accomplir, toujours un plan à appliquer.

— Et en ce moment, quel but poursuit-il ?

— Etre le meilleur père du monde, je crois, dit-elle tandis qu'un large sourire barrait son visage. A moins qu'il ne se démène pour obtenir le titre de meilleur mari de l'année.

— Est-ce une habitude chez vous de sourire sans que l'expression de vos yeux ne change lorsque quelque chose vous blesse ? lui demanda-t-il tout à trac.

Déstabilisée, elle répondit précipitamment :

— Je ne comprends pas votre allusion. J'aime énormément Nicholas et je me réjouis de son bonheur.

— Si le bonheur des êtres qui nous sont chers pouvaient faire le nôtre, il suffirait qu'une seule personne au monde soit heureuse et, par un effet de réaction en chaîne, tout le monde le serait. La première personne heureuse comblerait de bonheur son entourage, qui lui-même, ferait celui de ses amis, et…

— Savez-vous que vous avez un curieux raisonnement, monsieur Mallory ? l'interrompit-elle, agacée par sa démonstration.

— Et vous, savez-vous que lorsque vous souriez *vraiment*, vous plissez les yeux de façon adorable ?

Elle voulut protester, ouvrit la bouche, mais la referma aussitôt.

— Je suis certain que je viens de vous apprendre quelque chose sur vous-même, conclut-il d'un petit air triomphant.

Ethan jubilait devant son air déconfit. Ce n'était pas tous les jours qu'on devait lui clouer le bec, pensa-t-il.

Pour une raison qu'elle ne comprenait pas, Claudia sentit son estomac se nouer. L'observation d'Ethan l'avait troublée. Pourquoi n'aurait-elle pas été heureuse pour Nicholas ? Il méritait le bonheur qu'il savourait à présent.

En outre, elle cultivait un sens aigu de la compétition. Et en l'occurrence, avec Ethan, la compétition était ardue ! Elle avait un point d'avance sur lui en ce qui concernait la photo, mais elle ne doutait pas qu'il chercherait par tous les moyens à rattraper son retard. Le problème, c'était qu'il était bien trop observateur à son goût — ce qui, étant donné la profession qu'il exerçait, était d'ailleurs fort logique. Néanmoins, cela faisait de lui un redoutable adversaire.

Par bonheur, Nicholas n'était pas en rendez-vous lorsque Claudia indiqua à sa secrétaire qu'elle souhaitait s'entretenir avec lui.

Cette dernière en informa son supérieur, qui accepta de recevoir immédiatement les visiteurs. Il occupait un bureau spacieux, tout en verre, de sorte que même les jours gris comme aujourd'hui, il était inondé de lumière.

Le président de la société *Baronessa* était un homme d'une haute stature, doté d'une chevelure noire de jais et d'un regard aussi pénétrant qu'un laser. Il était assis dans un confortable fauteuil en cuir noir, derrière un vaste bureau en acajou clair. Non sans jeter un regard méfiant à l'inconnu qui accompagnait sa cousine, il se leva immédiatement pour venir à leur rencontre.

— Ravi de te voir, dit-il à l'attention de Claudia. Que me vaut l'honneur de cette visite ? As-tu jugé que la société *Baronessa* avait un besoin urgent de tes services ?

Claudia émit un petit rire, puis embrassa tendrement Nicholas.

— Je n'ai pas cette prétention, je sais que tu accomplis des prodiges, répondit-elle. Ma visite fait suite à la discussion que nous avons eue hier soir, au téléphone. Nicholas, je te présente Ethan Mallory.

— Ah, le détective ! fit Nicholas sans lui tendre la main. Eh bien, monsieur Mallory, quelles sont vos questions ?

— A vrai dire, il s'agit davantage d'une requête — approuvée par la jeune cerbère apprivoisée de la famille, dit-il en se tournant vers Claudia.

— Apprivoisée, dites-vous ? Je vous laisse libre d'en juger, fit Nicholas en souriant.

— Je préférerai « civilisée », précisa l'intéressée non sans condescendance. Apprivoisée implique une subordination que je récuse.

— Vous voyez, fit Nicholas d'un air entendu.

— Trêve de plaisanterie ! Aurais-tu quelques minutes à nous accorder ? demanda Claudia.

— Je vous en prie, asseyez-vous, répondit son cousin. Eh bien, de quoi s'agit-il ?

— J'ai deux requêtes à formuler, annonça Ethan. Primo, j'ai besoin de rencontrer l'équipe en charge du contrôle qualité. Claudia m'a assuré que cela ne posait aucun problème. D'ailleurs, peut-être pourriez-vous répondre vous-même à quelques questions ? Je suppose que vous avez diligenté une enquête interne.

A cet instant, le regard de Nicholas croisa celui de Claudia. Elle savait ce qu'il pensait : Derrick allait être furieux que ses compétences soient remises en cause. Notamment par Nicholas.

— Effectivement, répondit ce dernier. Le temps que j'ai à vous consacrer étant compté, je vais vous faire parvenir une copie du rapport d'enquête. De la sorte, vous pourrez l'étudier précisément.

Là-dessus, il appuya sur un bouton et donna l'ordre à sa secrétaire d'aller faire une photocopie du dossier.

— Si, après lecture, vous avez encore des questions, posez-les à Claudia, elle pourra vous répondre aussi bien que moi.

— Merci, répondit Ethan. J'ai également besoin du dossier d'un ancien employé, Ed Norblusky. C'est ma seconde requête.

— Norblusky ? répéta Nicholas d'un air pensif. Pourquoi ?

Et Ethan de répéter à Nicholas ce qu'il avait déjà appris à Claudia au sujet de l'ancien employé. Aussi, cette dernière écouta-t-elle d'une oreille distraite et se mit-elle à méditer sur les propos que Mallory lui avait tenus sur son sourire…

Elle aurait dû lui répliquer que sa façon de sourire ne le regardait absolument pas. Dieu soit loué, chaque personne possédait une panoplie de sourires différents : polis, ironiques, moqueurs, amers, amusés, bref, une liste non exhaustive !

Et elle n'était pas mesquine au point d'envier le bonheur de son cousin ! Nicholas avait connu une longue traversée du désert avant de rencontrer sa femme Gail. Apprendre deux ans après avoir quitté une petite amie que vous étiez père, cela causait forcément un choc !

Le bonheur que Nicholas connaissait au sein de son couple ne lui enlevait rien à elle ! Elle ne se sentait pas hors-jeu. Bon, elle admettait que de temps à autre, elle déplorait sa propre vie de célibataire. Mais ce n'était pas parce qu'on était d'une nature forte et combative, qu'on n'avait pas droit à quelques accès de faiblesse — notamment la nuit...

En tout état de cause, elle avait tiré les leçons du passé : si, à l'âge de vingt-huit ans, une femme n'avait pas pu dépasser le cap des quatre mois avec un homme, il était évident qu'elle avait un problème. Claudia préférait reconnaître ses défauts pour pouvoir mieux les affronter.

Depuis son dernier échec amoureux avec Drake, elle avait compris une bonne chose : les hommes qui l'attiraient n'étaient pas ceux qu'il lui fallait.

Claudia aimait les hommes forts qui ne reculaient devant rien pour atteindre leur but. Des hommes délicieusement virils qui, pour son propre malheur, aimaient les femmes... délicieusement douces et dociles ! Ce qui n'était pas du tout son cas — d'où ses difficultés. Elle avait mis longtemps à se rendre compte de cette incompatibilité, mais hélas, le constat était impitoyable : les femmes délicates et malléables soulignaient le côté viril de leurs maris, à la plus grande satisfaction de ces derniers. Evidemment, il y avait des exceptions à la règle, mais si peu !

Avec Drake, c'était pour cette raison que cela n'avait pas fonctionné. Il était habitué à se servir des femmes et à abuser de leur flexibilité. Or, Claudia lui avait donné du fil à retordre — jusqu'à ce jour fatal où elle avait surpris une conversation entre Drake et l'un de ses amis, lors d'une fête. Il avait confié à celui-ci son intention de quitter Claudia sous prétexte qu'elle manquait cruellement de féminité. Elle était alors entrée dans une colère monstrueuse et s'était, par la suite, bien vengée de lui en l'humiliant publiquement.

Nul doute qu'Ethan était de la même trempe que…

— Claudia ? Es-tu toujours avec nous ? demanda Nicholas en agitant la main devant sa cousine.

— Désolée, dit-elle avant d'ajouter, rebondissant sur la dernière phrase qu'elle venait d'enregistrer presque inconsciemment : Il est tout à fait honorable de vouloir respecter l'intimité d'un employé, mais en l'occurrence il s'agit d'un incendie criminel.

— Certes, dit Nicholas. Néanmoins, M. Mallory ne fait pas partie de la police !

Argument irréfutable ! pensa-t-elle. Mais qui ne parut nullement ébranler l'intéressé !

Enfoncé de façon désinvolte dans son fauteuil, les jambes allongées devant lui, Ethan semblait aussi décontracté que s'ils avaient parlé du match de football retransmis la veille à la télévision. Ou de la circulation. Ce n'était pas en général le genre de réaction que suscitait Nicholas. Et elle ne doutait pas un instant que le flegme du détective agaçait son cousin. Son regard erra sur les jambes de Mallory… Des jambes musclées…

Du calme ! s'enjoignit-elle brusquement.

— Je peux vous donner ma parole que je ne ferai pas un mauvais usage de ces informations.

Ah ! Pourquoi la voix de Mallory faisait-elle systématiquement vibrer tout son être ? Cela en devenait franchement irritant !

— Je suppose que tu lui fais confiance ? demanda Nicholas en se tournant vers Claudia.

— Confiance ? répéta Claudia d'un ton ironique. M. Mallory est forcément un excellent dissimulateur, c'est un travers nécessaire à sa profession. Néanmoins, je ne vois pas pourquoi il se servirait des informations concernant Ed Norblusky en dehors de l'enquête. Je ne pense pas qu'il veuille vendre son numéro de téléphone à une agence de télémarketing, par exemple !

— Je vous promets que non, assura froidement Ethan.

— Très bien, Mallory, concéda Nicholas, vous pourrez consulter le dossier de Norblusky, sous la responsabilité de Claudia qui devra me tenir au courant de la suite des événements.

De nouveau, il appuya sur un bouton et déclara à l'adresse de son assistante :

— Je vous envoie ma cousine Claudia, accompagnée de M. Ethan Mallory, qui désire consulter le dossier Norblusky. Il va de soi que le dossier ne doit pas quitter notre maison.

Là-dessus, il leva les yeux vers ses visiteurs et demanda :

— Satisfaits ?

— Merci pour votre collaboration, lui dit Ethan. Dites-moi, est-ce que je me trompe ou vous avez vous aussi des soupçons à son sujet ?

— Je ne veux pas influencer votre opinion. Ce que je peux vous dire, c'est que Norblusky était le chauffeur du camion qui transportait les glaces sabotées.

— Nicholas ! s'écria Claudia. Pourquoi ne pas l'avoir dit plus tôt ?

— Je voulais d'abord connaître les raisons qui poussaient M. Mallory à enquêter sur Norblusky. Eh bien, ravi de vous avoir connu, dit-il à l'adresse d'Ethan en lui tendant la main, cette fois.

Visiblement, Ethan avait réussi le mystérieux test auquel son cousin venait de le soumettre.

— Merci, Nicholas, et à bientôt, lui dit Claudia. Salue Gail de ma part et donne un gros baiser à Molly.

— Je n'y manquerai pas, mais j'aimerais m'entretenir un instant avec toi, en privé.

Se tournant vers Ethan, il ajouta :

— J'espère que vous ne verrez pas d'inconvénient à attendre dehors, monsieur Mallory…

— Absolument pas, dit Ethan avec un grand sourire.

Un sourire suspect, conclut Claudia. Elle devait se méfier de lui, c'était ce que lui dictait son intuition.

Dès qu'Ethan eut refermé la porte derrière lui, Nicholas braqua sur Claudia ses yeux perçants et déclara :

— Je n'aime pas la façon dont cet homme te regarde.

— Pardon ? dit cette dernière, tâchant de masquer le trouble que lui valait cette réflexion abrupte. Pour ma part, je n'ai rien noté de particulier dans la façon dont Mallory me regarde.

— Je suis sûr que ton détective a l'intention de te rouler dans la farine.

— Il ne sait pas à qui il a affaire ! affirma crânement Claudia.

— Es-tu certaine de pouvoir te mesurer à lui ?

— Bien sûr ! D'ailleurs, j'adore les défis !

Et cette fois, en lui souriant, elle s'assura de bien plisser les yeux !

3.

Lorsqu'il quitta le siège de la société *Baronessa*, Ethan était fort satisfait de sa visite et de sa collaboration avec celle qu'il avait affectueusement surnommée la cerbère apprivoisée. Le dossier de Norblusky contenait tous les éléments qu'il espérait y trouver : les coordonnées de ses anciens lieux de résidence et les références de ses divers employés. En outre, le rapport concernant l'incendie était extrêmement intéressant.

L'enquêteur avait réalisé un travail remarquable en ce qui concernait la reconstitution des événements. D'après ses conclusions, le sorbet avait été saboté lors de son transport : une personne s'était en effet introduite dans la camionnette réfrigérée qui transportait la marchandise destinée à l'inauguration et ce, alors que le véhicule était immobilisé dans un embouteillage.

Certes, à Boston, il n'y avait rien d'extraordinaire à ce qu'une fourgonnette se retrouve immobilisée dans les embouteillages. Mais, en l'occurrence, la circulation avait été bloquée en raison d'un camion dont le contenu s'était répandu sur le sol : et ce contenu, ce n'était rien d'autre que du poivre !

Coïncidence ? L'éventualité n'était pas à exclure. La vie n'était-elle pas faite de coïncidences ? Il lui incombait cependant de vérifier l'identité du chauffeur du camion.

Ethan jeta un coup d'œil en coin…

Claudia marchait toujours à ses côtés, au même rythme que lui, sans montrer le moindre signe d'essoufflement en dépit de la vive allure à laquelle il avançait. Visiblement, elle était irritée que son frère Derrick n'ait pas pu les recevoir. Elle avait tenté de l'appeler, mais était tombée sur sa secrétaire, qui lui avait alors indiqué que Derrick déjeunait avec un client. Un déjeuner d'affaires à 10 heures du matin ? Curieux ! avait pensé Ethan avant de s'apercevoir que, sans le lui avouer, Claudia trouvait elle aussi le prétexte fallacieux.

Décidément, il avait hâte de faire connaissance avec le fameux Derrick. D'autant qu'à chaque fois qu'il prononçait son nom devant Claudia, celle-ci se raidissait malgré elle. Pas besoin d'être un expert en langage du corps pour comprendre ! Manifestement, son frère était la brebis galeuse de la famille Barone. Oh ! La plupart des familles en avaient une, rien de bien étrange jusque-là — sauf que la lecture du rapport avait conforté Ethan dans son opinion : le sabotage du sorbet avait été commis par une personne de la maison.

Evidemment, il pouvait s'agir d'un employé, l'auteur n'étant pas forcément un membre de la famille Barone. Cependant, les brebis galeuses possédaient en général des goûts de luxe. Un concurrent avait-il offert à Derrick une somme astronomique pour trahir les siens ? Celui-ci s'était-il laissé soudoyer ? Toutes les hypothèses étaient permises…

Allons, pensa Ethan, il ne devait surtout pas tirer de conclusions hâtives. Après tout, il n'avait aucune preuve contre Derrick — du moins pas encore… En attendant, il était urgent qu'il se débarrasse de sa sœur pour poursuivre tranquillement son enquête. Car si cette dernière découvrait que son frère était dans sa ligne de mire, nul doute qu'elle lui mettrait immédiatement des bâtons dans les roues, en jurant ses grands dieux de l'honnêteté de son frère. Et de toute façon, sa tendance à vouloir prendre les rênes de son enquête l'irritait considérablement.

De nouveau, il lui décocha un regard oblique. Claudia Barone était habituée à mener tout son petit monde à la baguette, songea-t-il. Il revit son expression agacée lorsque, tout à l'heure, il l'avait traitée de cerbère apprivoisée et, à cette pensée, ne put retenir un sourire.

— Qu'y a-t-il ? demanda-t-elle vivement en rivant sur lui des prunelles aussi bleues que suspicieuses.

— Pardon ? dit-il d'un air distrait tout en lui ouvrant la portière, car ils venaient d'atteindre la Buick.

— Ce sourire sournois, que signifie-t-il ? précisa-t-elle une fois qu'ils se retrouvèrent côte à côte dans l'habitacle. Comme vous le savez, nous avons tous une panoplie de sourires qui correspondent à différentes situations.

— Seriez-vous à cran, Claudia ? demanda-t-il tout à trac avec ironie.

— Pas du tout, pourquoi ? dit-elle d'un air boudeur avant d'ajouter : Brrr, il fait un froid de canard dans votre voiture. Pouvez-vous monter le chauffage ?

— Je peux faire mieux, répondit Ethan, les yeux brillants.

Et, sur une impulsion, il prit le visage de Claudia entre ses paumes avant de bâillonner de ses lèvres la belle bouche couleur framboise. Naturellement, il s'attendait à ce que Claudia le repousse. Or, elle se figea, comme un chat piégé dans des eaux glacées…

La réaction inattendue de Claudia stimula d'un coup le désir d'Ethan. Du bout de sa langue, il se mit à titiller sensuellement les lèvres de sa partenaire. Des lèvres satinées, suaves, au-delà de ce qu'il avait imaginé… Leur goût était délicieux et contenait mille promesses de bonheur. Oubliant toutes réserves, il laissa ses mains glisser sur les courbes de la superbe Claudia…

Un adorable gémissement échappa à cette dernière et soudain, à la grande surprise d'Ethan, elle s'abandonna à son tour et lui rendit son baiser. S'agrippant à ses épaules, elle se mit à l'embrasser éperdument, comme si son salut dépendait de ce baiser. Un feu violent dévasta alors les reins d'Ethan, et ses mains se faufilèrent prestement sous le pull en cashmere de Claudia, des mains avides de palper sa peau chaude et douce…

Hélas ! Ce geste lui fut fatal, car immédiatement, Claudia se dégagea de l'étreinte pour se mettre à le fixer d'un air accusateur. Comment avait-il pu oser l'embrasser ? Telle était la question sévère que lui renvoyait son regard bleu dur.

— Désolé, je ne voulais pas…, bredouilla Ethan. C'était une erreur, je regrette.

— Effectivement, nous avons été pris d'un accès de folie. Oublions ce qui vient de se passer ! décréta-t-elle en bouclant sa ceinture.

Oublier ce prodigieux baiser alors qu'il avait encore le goût exquis de Claudia sur les lèvres ? Se rendait-elle compte qu'elle lui demandait l'impossible ? Ethan riva alors son regard au sien, un regard presque suppliant, mais Claudia, refusant de se laisser infléchir, demanda d'un ton implacable :

— Où allons-nous ?

— Chercher de quoi faire carburer notre moteur.

— Pardon ? dit-elle en tressaillant imperceptiblement.

— Faire le plein d'essence, si vous préférez !

Là-dessus, il démarra, non sans penser qu'il était urgent d'atteindre au plus vite la station-service… et de se débarrasser d'elle !

— Très bien ! enchaîna Claudia. Ensuite, nous rendrons visite aux proches de Norblusky pour tenter d'en apprendre davantage sur lui.

Toujours cet esprit de commandante en chef qui ressurgissait à la première occasion ! pensa Ethan agacé. Elle croyait peut-être qu'elle allait enquêter à sa place ! Non, il ne la laisserait pas davantage diriger son enquête que ses émotions ! Claudia et lui n'appartenaient pas du tout au même monde, et cela était suffisant à faire taire tous ses fantasmes, compris ?

Il avait déjà commis une erreur avec Bianca, cela ne lui suffisait-il donc pas ? Ah, la poisse ! Pourquoi se sentait-il de nouveau attiré par le même genre de personne ? Etait-il incapable de tirer la moindre leçon du passé ?

De fait, son divorce l'obsédait toujours, comme une mauvaise blessure mal cicatrisée. Juste après la rupture, animé par une colère profonde contre son ex-femme, il s'était jeté dans une vie de débauche dont il était plutôt honteux aujourd'hui. Jusqu'à ce qu'un matin, il se réveille aux côtés d'une créature dont il ignorait le nom et se rappelait vaguement les traits !

Ecœuré par son propre comportement, il avait décidé de changer de vie et s'était alors jeté à corps perdu dans le travail, ce qui s'était finalement révélé une excellente thérapie. Il avait assis sa réputation dans son domaine avant de racheter l'agence de son oncle.

Entre-temps, il avait tenté d'analyser sa situation personnelle et en était arrivé à la conclusion que, si sa femme n'avait pas supporté sa compagnie plus de dix mois, ce devait être lui qui avait un problème. Prêt à tout pour y remédier et le surmonter, il avait eu le tort de s'adresser à ses cousines qui lui avaient assuré d'un ton docte que les femmes aimaient les hommes doux et sensibles. La douceur, il comprenait, mais la sensibilité ? Un homme sensible ne risquait-il pas de passer pour « efféminé » ? Que recouvrait exactement ce concept ? Hélas, ses cousines ne lui avaient fourni aucune réponse satisfaisante. Amy lui avait conseillé de rester attentif à ses émotions, Jo avait insisté sur l'importance de la communication et des messages subliminaux. Quant à Katherine, elle s'était contentée de lui tapoter affectueusement l'épaule, en marmonnant de vagues propos sur les causes perdues !

Les seuls enseignements concrets qu'il en avait tirés étaient de ne jamais oublier les anniversaires de la femme dont on partageait la vie, de faire la vaisselle au moins une fois sur deux et surtout de ne jamais laisser son regard errer sur une autre...

O.K. pour l'anniversaire et la vaisselle, mais pour le reste… Comment ça, même pas un regard ?

— Vous n'êtes pas d'accord ?

Il sursauta.

Perdu dans ses pensées, il n'avait pas écouté un traître mot de ce que lui disait Claudia et ignorait à quoi correspondait sa question… Elle n'avait tout de même pas le don de divination !

— Excusez-moi, je réfléchissais, dit-il en mettant son clignotant pour rejoindre la station-service de Joe. Il faudrait vérifier si Norblusky a eu accès directement au sorbet qu'il transportait.

— Dans ces conditions, nous devrons interroger Frank Parengeter, à l'usine. Je propose que ce soit notre prochaine étape.

— Et si nous laissions la police se charger du cas Norblusky ? proposa subitement Ethan afin de tester sa réaction. Elle a plus d'hommes et de moyens que moi.

— Je ne comprends pas, commença-t-elle en sourcillant. Si tout ce que vous trouvez de mieux à faire, c'est de remettre vos pistes à la police, pourquoi fait-on appel à vos services ?

— On me rémunère pour mon sens de l'analyse et ma discrétion, rétorqua-t-il vivement.

Elle attendit quelques secondes avant de reprendre d'un ton lent, où perçait la colère :

— Votre mobile, c'est l'argent ! Je vous accorde que c'est une bonne motivation, mais dans ce cas précis, il s'agit de ma famille. C'est *ma* famille qui est en difficulté, au cas où vous l'auriez oublié. Et je veux que le criminel, quel qu'il soit, soit arrêté. Je ne tiens pas à ce que les incidents se répètent. Dois-je vous rappeler que ma sœur a manqué périr dans l'incendie ?

Il retint un soupir. Elle était censée avoir du répondant et de l'ironie, que diable ! Or, voici qu'elle faisait subitement appel au registre des émotions ! Et notamment de la sincérité.

Non, il ne se laisserait pas prendre au piège de cette amatrice en la matière ! Assez ! pensa-t-il en pilant devant la pompe à essence. D'autant que ce n'était même pas elle qui le rémunérait !

— Voulez-vous un soda ? demanda-t-il brusquement après avoir coupé le moteur.

— Non, merci, pas avant le déjeuner, répondit-elle avec une froideur ostensible.

— Dans ces conditions, pouvez-vous faire le plein pendant que je vais m'en acheter un et payer ? C'est dans vos cordes, n'est-ce pas ?

— Oui, tout comme je sais téléphoner sans me casser un ongle ! répliqua-t-elle d'un ton suprêmement agacé.

Leurs regards se croisèrent…

— Que me reprochez-vous exactement ? demanda-t-il en pensant aux fameux messages subliminaux évoqués par sa cousine Jo. De vous enfermer dans un stéréotype ?

— Ce n'est pas parce que je suis blonde et riche que je suis une incapable, vous savez, lui asséna-t-elle en relevant le menton.

— Et l'huile de votre voiture, c'est vous qui la changez également ? demanda-t-il avec une perfidie achevée.

— Ne vous aventurez pas sur ce terrain-là, le prévint-elle, vous risqueriez de perdre.

Là-dessus, elle sortit de la voiture et pour sa part, il rejoignit son cousin Joe.

Ce dernier était assis derrière le comptoir, occupé à lire un magazine. Il jeta un regard désapprobateur à son visiteur dont il avait épié les moindres gestes depuis son arrivée dans sa station-service.

— Elle m'a l'air d'une chic fille et je vois bien que tu t'apprêtes à lui jouer un sale tour, déclara Joe sans ambages. Et moi qui croyais que tu avais changé !

— Ecoute, ce n'est pas ce que tu crois, je ne cherche pas à la laisser tomber, seulement… je dois lui échapper, voilà ! C'est purement professionnel.

— Elle était vraiment très jolie. Jambes fuselées, longue chevelure dorée… Franchement, elle n'a pas l'air d'avoir commis le moindre crime.

— Je n'ai jamais dit cela ! Ce n'est pas une criminelle, mais une enquiquineuse, c'est différent.

— Toutes les femmes se transforment en enquiquineuses dès que tu t'es servi d'elles, lui rappela son cousin.

— Pourquoi refuses-tu de comprendre, Joe ? Ce n'est pas ma petite amie, protesta Ethan en soupirant lourdement.

A cet instant, il jeta un regard par la fenêtre. Il devait absolument avoir déguerpi avant que Claudia n'ait terminé de faire le plein ! Au bout de combien de temps comprendrait-elle qu'il ne reviendrait pas ?

Brandissant un billet de vingt dollars de son portefeuille, il le tendit à son cousin.

— Pour l'essence, précisa-t-il. Ta voiture est garée derrière ?

— Si Cindy découvre que je t'aide à rouler ta petite amie, elle…

— Tu es sourd ou quoi ? Ce n'est pas ma petite amie ! martela Ethan.

— Et je parie qu'elle, elle a un autre avis sur la question, rétorqua son cousin.

— Joe, tu sais bien que j'ai renoncé aux blondes depuis longtemps ! Les clés, s'il te plaît !

— Tu n'as qu'à prendre le bus.

— Les transports en commun ne me mèneront pas là où je dois me rendre. Les clés, bon sang !

Incorruptible, Joe s'entêtait.

— Si tu utilises la voiture, Cindy va exiger des explications. Qu'est-ce que je vais bien pouvoir lui dire ?

— Tout simplement la vérité : que j'ai emprunté ta voiture car j'en avais besoin pour l'affaire sur laquelle j'enquête. Et si tu ne lui parles pas de Claudia, Cindy n'en saura jamais rien !

Là-dessus, Ethan adressa un sourire diabolique à son cousin. Pour tout dire, il était assez satisfait de lui-même. Il venait de jouer un bon tour à l'impudente qui, hier, en le photographiant, lui avait coupé l'herbe sous le pied. Or, Ethan détestait se faire piéger. Et puis, autre chose le préoccupait : Claudia le troublait au point que, dans un moment d'égarement, il l'avait embrassée. Et pour cela aussi, il lui en voulait. Au fond, ce qui était en train de lui arriver, elle l'avait bien cherché ! On ne jouait pas impunément avec le feu. Si à son âge, Mlle Barone l'ignorait encore, il était grand temps qu'elle l'apprenne enfin.

— Tu te trompes ! argua Joe, opiniâtre. Les femmes le sentent *toujours* lorsqu'on leur cache quelque chose ! Et elles arrivent *toujours* à te faire dire ce que tu ne voulais précisément pas leur dire.

— Joe ! dit Ethan à bout de nerfs en lui arrachant son magazine des mains. Les clés !

— Très bien, les voici tes clés ! dit Joe résigné, en lui tendant l'objet convoité.

— Merci, lui dit Ethan, non sans ajouter dans un grand sourire : A propos, il vaudrait mieux que Cindy ne me parle jamais de Claudia, ou alors, je me verrai obligée de l'édifier sur Mlle April, tu te souviens ?

— C'est révoltant ! Ferais-tu du chantage, à présent ?

— A bientôt, Joe ! A propos, pourrais-tu également vérifier le niveau d'huile de la Buick ? Je passerai la reprendre ce soir.

Tout bon détective se devait de compter un greffier parmi ses amis. Après avoir laissé en plan Claudia, Ethan fila droit vers le palais de justice du Middlesex, dernier lieu connu de résidence de Norblusky avant que ce dernier ne s'évapore dans la nature. Or, dans ce district, Ethan n'avait pas de véritable ami. La seule personne dont il pouvait obtenir quelques renseignements, c'était Lenny — mais contre rémunération ! Allons, il allait lui proposer des tickets pour le prochain match des Celtics afin de s'assurer sa coopération. Il ne pourrait pas refuser.

Lenny lui en voulait depuis que lui, Ethan, était sorti avec l'une de ses collègues, Julia. Dès le départ, les deux partenaires étaient convenus qu'il s'agissait d'une liaison sans lendemain — essentiellement physique. Or, au bout du sixième rendez-vous, Julia lui avait parlé mariage ! Effrayé, Ethan avait coupé les ponts et son ancienne compagne ne s'était pas privée pour lui faire une impitoyable publicité.

Julia aussi était blonde, pensa subitement Ethan. Grande et élégante… Décidément, ce type de femme lui faisait perdre la tête. Encore heureux qu'il ait eu un sursaut de bon sens en se débarrassant à temps de la dernière en date qu'il ait rencontrée, à savoir Mlle Barone.

Il était presque 16 heures lorsqu'il quitta le tribunal du Middlesex, et déjà trop tard pour se rendre à Suffolk. Norblusky n'avait laissé aucune trace de son passage dans le Middlesex. Pas la moindre poursuite judiciaire, ni divorce, ni mariage, rien. La seule chose positive qu'Ethan ait obtenue, c'était l'adresse de sa sœur, une certaine Sophia Anne Lamont. Il avait vérifié dans l'annuaire : bingo, elle habitait toujours au même endroit !

Tout en sifflotant, Ethan regagna la voiture de Joe.

Le soleil couchant dardait ses derniers rayons sur la ville et sa lumière cuivrée rappela à Ethan de vieux clichés couleur sépia. Un accès de nostalgie le submergea subitement, en même temps que lui revinrent en mémoire des souvenirs d'enfance, et plus précisément le souvenir des Chocos BN qu'il mangeait en rentrant de l'école. Sa mère n'avait guère le temps de cuisiner, mais il y avait toujours un paquet de BN dans le placard. Du moins jusqu'à ce qu'il ait neuf ans. Après, tout avait changé…

Allons, pensa-t-il, tout comme les souvenirs, les rancœurs s'évanouissaient peu à peu. Semblables aux photos dont les couleurs disparaissent progressivement, les années emportaient avec elles même les douleurs les plus vives, pour ne laisser qu'une sorte de douce mélancolie, comme celle que suscitait cette belle lumière de fin d'après-midi… Secouant la tête, Ethan monta dans la voiture et démarra.

Il décida de revenir à l'agence et de poursuivre l'enquête sur Internet, à partir du numéro de sécurité sociale de Norblusky. Il rendrait visite à Sophia Lamont le lendemain.

Non sans avoir été retardé par les embouteillages habituels, il atteignit enfin North End, pour constater, une fois devant chez lui, que sa place de parking était déjà occupée — et qui plus est, par sa propre voiture !

Décidément, se dit Ethan, Joe n'avait rien compris !

C'était lui qui était censé ramener la voiture de Joe chez ce dernier et reprendre la Buick. Au dernier moment, son poltron de cousin avait dû paniquer, pensa-t-il encore en montant l'escalier quatre à quatre, et, peu désireux d'expliquer à Cindy pourquoi il se retrouvait avec la Buick d'Ethan, il avait préféré s'en débarrasser. Le pauvre, sa femme le menait réellement par le bout du nez.

Arrivé devant sa porte, Ethan s'immobilisa brusquement. N'était-ce pas un rire de femme qui résonnait dans son bureau ? Et qui plus est, un rire fort familier ! Son cœur se mit à cogner violemment dans sa poitrine. Bon sang ! Tout s'éclairait. Joe avait fait pire qu'il ne croyait : il avait tout simplement confié la Buick à Claudia ! Mais pourquoi celle-ci la lui avait-elle rapportée à domicile ? Voilà qui ne lui ressemblait guère. Et d'abord, comment était-elle entrée dans son bureau ?

La porte était entrouverte…

Il aperçut la silhouette de Claudia, assise dans son propre fauteuil, dos bien droit, jambes croisées. Avec qui discutait-elle… ? Il avança prudemment le nez. Rick, il en était sûr ! Policier de son état, ce dernier comptait lui aussi au nombre de ses cousins. Ethan l'employait de temps à autre — en toute illégalité, d'ailleurs.

Pourquoi Rick se tenait-il si près de Claudia ? pensa immédiatement Ethan, furieux. En outre, il n'aimait pas du tout l'éclat salace qui brillait dans les yeux de son cousin. D'un geste décidé, il poussa la porte.

— Tiens, Ethan ! dit Claudia le plus naturellement du monde. Rick m'a tenu compagnie pendant que je vous attendais. Il m'a raconté tous vos secrets.

Ses yeux étincelaient. Et, bien entendu, ils se plissèrent lorsqu'elle lui adressa son plus beau sourire. Ethan demeura un instant sur le seuil, perplexe. En toute logique, Claudia aurait dû être furieuse contre lui, après le tour qu'il lui avait joué tout à l'heure. Et pourtant, elle n'en laissait rien paraître, et semblait même ravie de le voir. Pourquoi ?

Il tourna son regard vers Rick…

— Allons, tu sais bien que je ne connais pas tous tes secrets, Ethan, se défendit ce dernier.

— C'est toi qui l'as fait entrer ?

Sur la sellette, Rick leva les mains en l'air d'un air résigné. Il était son cadet de quelques années — par conséquent bien trop jeune pour Claudia —, mais terriblement beau garçon. Il avait même des fossettes !

— *Mea culpa.* J'étais en train de travailler sur ton ordinateur lorsque Claudia a frappé à la porte. Je terminais mon rapport sur Simmons. Sais-tu que je l'ai surpris au motel avec sa jeune maîtresse ? J'ai même pris des photos.

— Bon boulot, fit Ethan non sans cesser de se demander ce que Rick avait bien pu raconter à Claudia. Mais cela n'explique nullement la présence de Claudia dans mon bureau.

— Désolé de ne pas lui avoir refermé brusquement la porte au nez, dit Rick, ironique. J'ignorais que c'était le traitement que tu réservais désormais aux belles femmes qui venaient frapper à ta porte.

A ces mots, Claudia éclata de rire et déclara à l'adresse d'Ethan :

— Ne vous inquiétez pas, je n'ai rien cassé chez vous, je n'ai pas tenté de mettre le feu, vous pouvez vérifier, tout est en ordre. Je vous concède que j'aime gagner. Néanmoins, cela ne m'empêche pas d'apprécier les stratagèmes réussis de mes adversaires. Et le vôtre l'était, sincèrement. Vous m'avez laissée en plan sans même être obligé de me mentir. Subitement vous vous êtes volatilisé. Du grand art !

— J'espère que vous n'avez pas attendu trop longtemps.

— Ici, vous voulez dire ? Pas du tout, une heure à peine. Et d'ailleurs, en compagnie de Rick, le temps a filé sans que je m'en aperçoive. Il semblerait que j'ai terminé mon enquête plus rapidement que vous — à moins que je n'ai eu plus de chance, côté circulation.

— Quelle enquête ? s'écria-t-il agacé par ses grands airs désinvoltes. Depuis quand enquêtez-vous ? Vous n'avez rien à voir dans cette enquête.

— Néanmoins, il se peut que les renseignements que m'a fournis Donna vous intéresse, fit-elle d'un ton mystérieux.

— Donna ? Qui est Donna ?

— L'une de mes connaissances dont le mari faisait du sport avec Norblusky. Elle m'a donné le nom de sa sœur.

La bonne affaire ! Elle croyait peut-être l'impressionner ?

— Figurez-vous que moi aussi, je l'ai, rétorqua-t-il. Vous n'êtes pas la seule à avoir des connaissances. J'ai même son adresse et son numéro de téléphone.

— Parfait ! Moi, je n'avais pas ses coordonnées. Auriez-vous également celles de son ex-femme, par hasard ? ajouta perfidement Claudia.

— Son ex-femme ? répéta Ethan en s'efforçant de paraître naturel.

Tiens, tiens, Norblusky ne s'était vanté auprès de personne d'avoir divorcé. Et naturellement, le témoignage d'une ex-femme était bien plus précieux que celui d'une sœur. En général, une ancienne épouse pétrie de ressentiments livrait sans état d'âme tout ce qu'elle savait sur l'intéressé, là où une sœur ou un membre de la famille faisait preuve de davantage de retenue.

— Non, je ne connaissais même pas son existence, finit-il par admettre à contrecœur.

Claudia lui décocha un sourire ravageur, et annonça :

— Je lui ai téléphoné. Elle accepte de me recevoir.

Faisant une pause, elle ajouta alors d'un ton triomphant :

— Et pour vous prouver que je ne vous tiens pas rigueur de votre conduite, je suis venue chez vous pour vous proposer de m'accompagner.

4.

— Vous ne pouvez pas venir, déclara Ethan.

— Ne soyez pas ridicule ! rétorqua posément Claudia.

Décidément, Mallory refusait de comprendre qu'elle avait gagné. Peu désireuse de s'énerver, Claudia ouvrit son sac à main et en sortit son poudrier. Elle se remit tranquillement du fond de teint sur le nez, tout en se jurant de ne pas lui rappeler sa victoire. Il aurait été bien trop vulgaire de jubiler. Et puis, de toute façon, elle n'était pas d'une nature rancunière.

Il n'empêche qu'elle avait été fort contrariée par la conduite d'Ethan. Ou plus exactement blessée. Quand elle s'était rendu compte qu'il l'avait menée en bateau et qu'il n'avait nulle intention de la revoir, son cœur s'était douloureusement serré. Comme elle s'en était voulu d'avoir fondé des espoirs sur lui ! Quelle inconséquence de sa part !

D'un claquement sec, elle referma son poudrier.

Dieu merci, ils n'avaient échangé qu'un seul baiser et ils n'étaient sortis nulle part ensemble ! D'ailleurs, pourquoi seraient-ils allés au restaurant ensemble, par exemple ? Ils n'étaient même pas amis, juste des collègues d'infortune, voire des adversaires. En tout cas, Ethan ne lui devait rien.

Ethan, qui en ce moment la fixait sans ciller…

— Soyez gentille, reprit-il. Donnez-moi l'adresse de son ex-épouse et j'irai moi-même au rendez-vous.

Mallory était-il sourd ? Ou bien n'écoutait-il pas ce qu'on lui disait ?

— Non ! dit-elle d'un air buté. Il n'en est pas question.

— Si vous le permettez, je vais prendre congé de vous, intervint alors Rick d'un ton enjoué. Non que je ne sois intéressé par le match fascinant auquel vous me permettez d'assister, mais l'appel de mon lit est plus fort que tout. J'ai accumulé un retard de sept heures de sommeil, cette semaine.

A ces mots, Claudia lui adressa un sourire et déclara :

— Ravie d'avoir fait votre connaissance, Rick.

Ethan décocha un regard suspicieux à son cousin. Pourquoi Claudia et lui paraissaient-ils aussi complices que deux compères ayant fait les quatre cents coups ensemble ? Sans doute à cause des fameux secrets que Rick avait livrés à Claudia ! Nul doute d'ailleurs que celle-ci lui eût laissé croire qu'elle et Ethan formaient un couple.

— J'ai besoin de consulter un rapport d'accident, déclara soudain Ethan à son cousin en lui tendant un papier. Je sais que tu peux te le procurer plus facilement que moi.

— Quel accident ?

— Un camion de marchandises a renversé du poivre sur la chaussée, juste devant une camionnette de livraison *Baronessa*. Je voudrais en savoir plus à ce sujet.

— Entendu ! répondit Rick. Au revoir, les amis, amusez-vous bien et que le meilleur gagne !

Là-dessus, il fit un petit signe de la main et sortit.

Le temps de la négociation était arrivé, pensa Claudia avant de déclarer :

— Vous avez une grande famille. Rick m'en a longuement parlé.

— Inutile de tenter de m'amadouer en évoquant ma famille. Ce n'est pas vous qui irez à ce rendez-vous.

— C'est amusant, dit-elle d'un ton faussement songeur, vous ressemblez à Nicholas quand il décrète la loi. *Sa* loi, en l'occurrence. Déterminé et inflexible. Savez-vous que cela vous donne un charme fou ?

— Ecoutez, commença Ethan d'un ton sévère, vous avez réalisé un excellent job en vous procurant l'adresse de l'ex-femme de Norblusky. Chapeau ! Mais maintenant, vous devez être raisonnable et passer la main aux professionnels, d'accord ?

— Pourquoi me parlez-vous comme à une idiote ? Parce que je ne suis pas payée pour mener cette enquête ? Vous aussi, Ethan, écoutez-moi bien ! Je ne vous donnerai pas cette adresse et vous pouvez bien me foudroyer du regard si cela vous amuse, je ne changerai pas d'avis : soit vous venez avec moi, soit j'y vais seule.

Agacé, il se mit à faire les cent pas dans son bureau, avant de rétorquer :

— Ne comprenez-vous donc pas que Norblusky est un individu dangereux ? Le sabotage du sorbet n'était qu'une première menace, et comme cela n'était pas suffisant, il a surenchéri en mettant le feu à l'usine. Cet homme est résolu à toutes les extrémités.

— Et d'un, rien ne prouve que Norblusky soit l'auteur de ces crimes, et de deux, son ex-femme n'est nullement impliquée dans l'affaire. En outre, je doute fort qu'elle me tire dessus avec une arme si je lui pose des questions qui ne lui plaisent pas.

— Qui sait si Norblusky n'a pas trouvé refuge chez elle ? dit subitement Ethan en prenant un ton dramatique. Qui nous dit qu'ils sont en mauvais terme, tous les deux ? Après tout, des divorcés peuvent parfaitement s'entraider.

— En la matière, vous en savez certainement davantage que moi, observa-t-elle finement. Mais admettons que Norblusky se cache effectivement chez son ex-femme, ce qui me paraît — pardonnez-moi de vous contredire — hautement improbable. Ne serait-il pas alors préférable que vous m'accompagniez ?

Cela dit, elle le gratifia d'un petit sourire, qui le fit littéralement sortir de ses gonds.

— Assez ! ordonna-t-il tout à coup en la saisissant par les avant-bras. Cessez de faire ça !

— Pardon ? De faire quoi ? répliqua-t-elle en le fixant droit dans les yeux, la tête légèrement inclinée vers l'arrière.

Les yeux mouchetés d'Ethan lançaient des éclairs, et ses lèvres étaient encore plus minces quand il était en colère. Et d'abord, de quel droit la tenait-il de cette façon ?

— Cessez de sourire lorsque vous êtes blessée ou que vous avez peur. Cela me rend dingue.

Vraiment ? Malheureusement, cela semblait contagieux, car lui aussi commençait réellement à la rendre folle. Son cœur battait violemment dans sa poitrine, tandis qu'un feu exquis se distillait doucement dans ses veines sous la pression des doigts d'Ethan sur ses avant-bras…

— Certaines personnes combattent la peur en se mettant en colère, moi, je préfère sourire, répondit-elle, le souffle court.

— En ma présence, abstenez-vous ! lui ordonna-t-il non sans faire glisser lascivement ses doigts le long de son pull en cashmere.

S'arrêtant à la hauteur des coudes, il se mit alors à tracer de petits cercles à travers le lainage. Puis il ajouta d'un ton rauque :

— Je n'aime pas ça.

— Pourquoi ? demanda-t-elle d'une toute petite voix.

— Je l'ignore. C'est comme ça, dit-il en louchant dangereusement vers sa bouche.

— Je vois…, murmura-t-elle.

Ses sourcils étaient toujours froncés, même si désormais ce n'était plus la colère mais la confusion qui animait les traits d'Ethan. Il dardait sur elle ses yeux bicolores et diaboliques et des pupilles gorgées de désir… Néanmoins, ses lèvres demeuraient résolument serrées. Il ne résisterait pas à son baiser ! pensa-t-elle brusquement.

Et la seconde d'après, elle l'embrassait…

Ethan ne lui opposa aucune résistance, et l'enlaçant fougueusement, lui donna à son tour un baiser passionné.

Waouh ! Cet homme n'avait besoin ni de conseil, ni d'encouragement, pensa Claudia, emportée par un tourbillon de sensations exquises. Nul doute qu'il prendrait tout ce qu'elle voudrait bien lui concéder, et plus encore !

Ethan fleurait bon le café et le cuir, un parfum de virilité unique se dégageait de tout son être. Elle avait envie d'explorer toutes ses fragrances, toute la géographie de son corps, de son visage qu'elle tâtait fébrilement, découvrant la rugosité de ses joues, la douceur de ses pommettes…

De plus en plus fougueux, Ethan prit le visage de sa partenaire en coupe entre ses paumes et, sans cesser de l'embrasser, la plaqua contre le mur, avant de se presser sensuellement contre elle. Brusquement, à travers le tissu, Claudia sentit sa virilité palpitante. Alors, telle une rivière, le désir déferla sur son être pour venir se loger au creux de sa féminité.

Chaudes et calleuses, les mains d'Ethan couraient à présent sur la peau satinée de Claudia, sur ses reins, son ventre, remontant lentement vers ses seins qu'il se mit à palper à travers la dentelle du soutien-gorge…

Rejetant la tête en arrière, Claudia enfouit ses mains dans les cheveux de son compagnon. Et découvrit avec délices leur texture soyeuse et épaisse ! Décidément, cet homme réservait bien des surprises. Ses cheveux lui rappelaient une fourrure de vison et paraissaient concentrer toute la chaleur qui émanait de son corps.

Sans mot dire, Ethan lui retira son pull, et les cheveux blonds de Claudia voltigèrent gracieusement sur ses épaules délicates. Puis ce fut le tour de son soutien-gorge… Lorsque ses seins ronds et fermes jaillirent devant lui, un large sourire barra le visage d'Ethan et…

Et à cet instant précis, une porte claqua brusquement !

La porte de l'agence ! réalisa Ethan.

Il sursauta et se détacha vivement de Claudia qui, ragrafant tant bien que mal son soutien-gorge, renfila son pull en un temps record, non sans le gratifier d'un regard furibond.

— Désolé, fit Ethan, mais… nous étions d'accord, je crois ? Il faudrait savoir ce que vous voulez !

— Moi aussi je suis désolée de constater que l'on entre chez vous comme dans un moulin ! Et je n'étais pas d'accord pour que tout le monde nous voit nous embrasser.

— Allons, c'était certainement une personne qui se trompait de porte, temporisa-t-il en la regardant tendrement. Claudia, je…

Il ne put terminer sa phrase. La porte se rouvrit brutalement tandis que Claudia écarquillait de grands yeux… Bianca Conti se tenait dans l'encadrement de la porte, telle une immense déesse blonde, les poings serrés sur les hanches. Elle était vêtue de la tête aux pieds en Armani.

— On peut savoir ce que vous faites ? demanda Bianca d'un ton suprêmement arrogant.

Etait-ce le choc, la surprise ? Toujours est-il que Claudia laissa éclater un rire nerveux tandis qu'Ethan rétorquait :

— Permets-moi de te retourner la question ! Que fais-tu là ? Et ne t'a-t-on jamais appris à frapper avant d'entrer ?

Nullement impressionnée, Bianca s'avança vers lui d'un air décidé et déclara, vindicative :

— Comment oses-tu t'en prendre à mon père ? Le manipuler de façon si odieuse ? Je me demande par quel moyen tu as bien pu le convaincre de louer tes services. A quel petit jeu joues-tu donc ? Essaierais-tu de faire porter à ma famille les crimes que le clan Barone a lui-même fomentés ? Sache que je ne te laisserai pas faire, Ethan !

— Bianca, dit froidement Ethan sans chercher à contrer à ces accusations insensées, tu connais Claudia Barone, je suppose ?

— Bonjour, Bianca, enchaîna Claudia. Toujours aussi élégante !

— Que fais-tu ici ? demanda froidement cette dernière, peu sensible au compliment.

— Je défends les intérêts de ma famille ! répondit diplomatiquement Claudia. Ravie d'apprendre que c'est ton père qui a engagé M. Mallory.

— Ce que vous n'auriez pas su si Bianca savait tenir sa langue et se comporter en société ! précisa durement Ethan.

— Bien sûr, fais comme si c'était ma faute ! se récria Bianca, outrée. Remarque, je devrais être habituée, tu rejettes toujours le blâme sur moi !

— Bianca, rétorqua patiemment Ethan, il y a longtemps que je ne rejette plus la faute sur toi, car cela fait des années que je n'ai plus besoin de le faire.

Cette remarque cloua le bec à Bianca — du moins pendant quelques secondes. Bianca était réellement la reine du drame et de la mise en scène, pensa alors Claudia. Comprendrait-elle un jour que le monde ne tournait pas autour d'elle ? Et comment Ethan pouvait-il encore la supporter ? Curieux… Il ne semblait pas particulièrement la haïr. Bah, au fond, cela était logique ! Mallory aimait jouer les grands seigneurs, ce côté souverain valorisant l'image qu'il cultivait de lui-même.

Ayant recouvré ses esprits, Bianca s'en prit brusquement à Claudia et déclara :

— J'aurais cru que tu aurais au moins la délicatesse de t'éclipser en constatant qu'Ethan et moi désirions nous entretenir en tête-à-tête.

— Qui me dit qu'Ethan en a envie ? Après toutes ces années, tu décides encore pour lui ? ne put s'empêcher d'observer ironiquement Claudia.

Une chose était certaine, Bianca avait du caractère. Ce qui en disait certainement long sur celui d'Ethan. Il avait été attiré par sa personnalité…, mais n'avait pas pu la supporter ! Se tournant vers ce dernier, Claudia ajouta :

— A propos de ce rendez-vous, voulez-vous oui ou non vous y rendre avec moi ?

— Evidemment, répondit-il — sans faire d'histoire, cette fois ! Et nous ferions mieux de nous mettre immédiatement en route, si nous ne voulons pas être en retard.

— Entendu, prenons la route ! Désolée, Bianca, mais vous vous expliquerez une autre fois avec Ethan !

Vexée, cette dernière tourna les talons et disparut sans même prendre congé.

A l'intérieur des villes, on ne voyait jamais l'horizon, se dit Claudia, songeuse. Le soleil était couché depuis peu et des écharpes de lumière témoignaient encore de son passage dans le ciel obscur. Les lumières de la ville commençaient à s'allumer.

Lorsque Ethan s'engagea dans Huntington Avenue, Claudia eut l'impression que la ville revêtait doucement ses habits de lumière, comme une dame du Moyen Age ses parures et ses joyaux scintillants. Les feux rouges clignotaient, les lumières brillaient doucement derrière les fenêtres, les enseignes lumineuses attiraient le regard. Des flots de lumière inondaient les stations-service et les supermarchés, tandis que les lampadaires diffusaient une clarté tamisée et poétique.

Les lumières de la ville, nombreuses et variées, empêchaient de saisir l'instant fugitif et magique où la nuit éclipse inexorablement le jour, pensa-t-elle alors.

Ciel, pourquoi était-elle si rêveuse, ce soir ? Presque mélancolique…

Etait-ce la présence d'Ethan à ses côtés ? Le moteur de la Buick ronronnait gentiment et la nuit, tout emperlée de fanions lumineux, les enveloppait tandis qu'ils roulaient… non pas vers un but inconnu, mais en direction de Brookleen, pour interroger l'ex-femme de Norblusky. Rien de très romantique, donc !

Que lui arrivait-il ?

Le baiser échangé tout à l'heure l'avait-il tellement perturbée ? En général, ses pulsions sexuelles étaient tout à fait saines et normales. Mais avec Ethan, tout était différent…

Dès qu'il la touchait, la raison l'abandonnait et elle se sentait prête à toutes les folies. Cela en était presque effrayant. Et le pire, c'était que cela lui plaisait. Si Bianca n'avait pas débarqué comme une tornade à l'agence, nul doute que…

Assez ! Elle poussa un long soupir qui attira l'attention d'Ethan.

— Que se passe-t-il ?

Son ton, patient et attentionné, lui déplut, car elle savait très bien — trop bien — qu'elle ne pouvait pas lui résister quand il s'adressait à elle sur ce ton-là ! Et qu'elle était alors capable de lui livrer ses pensées les plus secrètes.

Cependant, elle éprouvait le besoin de reparler de ce qui s'était passé tout à l'heure, dans son bureau. Aspirant une large bouffée d'air, elle fixa une ultime fois les lumières et les perspectives de la ville qui s'enchevêtraient soudain comme dans un kaléidoscope, avant de se lancer :

— A propos de ce qui est arrivé à l'agence…

— Pourquoi revenir là-dessus ? l'interrompit-il sèchement. En outre, il ne s'est rien passé. Bianca a coupé court à tous nos élans.

— C'est vrai, concéda-t-elle…

…Si on faisait abstraction du baiser et des caresses échangés ! Ce qui, bien sûr, n'était rien en comparaison de ce qui *aurait pu* se passer si Bianca n'avait pas interrompu leurs étreintes.

— Néanmoins, reprit-elle, tu dois savoir que…

— Ecoute, déclara Ethan en rebondissant sur le tutoiement qui avait échappé à Claudia, je ne tiens pas à me livrer à une analyse après coup. A quoi cela sert-il ? De toute façon, je te rassure, tu n'es pas mon type de femme.

— Sois sans crainte, tu n'es pas non plus mon type d'homme ! rétorqua-t-elle, piquée au vif. Ce que je tentais seulement de t'expliquer, c'est que je sors avec un autre homme. Par conséquent, tu n'as pas de souci à te faire : cela ne se reproduira pas !

— Parfait, dit-il en se mettant à pianoter nerveusement sur son volant. Sans vouloir être moraliste, permets-moi tout de même de te faire remarquer que si tu as déjà quelqu'un, tu n'aurais pas dû m'embrasser.

— Neil et moi..., commença-t-elle avant de se rendre compte qu'elle ne lui devait aucune explication : Notre histoire ne te regarde pas ! D'ailleurs, je croyais que tu ne voulais pas épiloguer. Néanmoins, en ce qui concerne Bianca, il ne me semble pas qu'elle soit particulièrement ton type, elle non plus.

— Bien vu ! J'étais très jeune lorsque nous nous sommes rencontrés. J'ai confondu alors le côté vertigineux et fallacieux du sexe avec une véritable histoire d'amour, susceptible de durer.

— Dois-je en conclure qu'il ne s'agissait que d'une attraction sexuelle entre ta femme et toi ?

— En tout état de cause, l'attirance que nous éprouvions l'un pour l'autre ne reposait pas sur nos intérêts communs, c'est le moins que l'on puisse dire. Néanmoins, je crois que j'ai tiré les leçons du passé. Bianca et moi, nous ne pouvions pas nous comprendre car nous venions de milieux trop différents.

— Etre issu du même monde ne signifie pas forcément que l'on va vivre une merveilleuse histoire romantique, observa-t-elle avec sagesse. Et si les amours tournent mal, tout le monde en profite ! Non, le garant d'une bonne relation, c'est le respect mutuel.

Il lui jeta un coup d'œil oblique, et elle devina l'ébauche d'un sourire sur ses lèvres.

— Je présume que tu parles en connaissance de cause.

— Tu sais, je ne fais pas uniquement référence à Drake et moi.

— Vraiment ?

— Evidemment, je pensais à nous en disant cela, mais pas simplement. C'est la conclusion que je tire de plusieurs relations. J'extrapole.

— Tu quoi ?

— Extrapoler. Cela veut dire que…

— Oui, merci, moi aussi j'ai mon bac et un certain vocabulaire. Seulement, c'est la première fois que j'entends une femme prétendre qu'elle *extrapole* en évoquant ses relations amoureuses. En général, les femmes se situent dans le registre des sentiments, pas de la logique.

— Visiblement, je défie les stéréotypes. En ce qui concerne mes relations amoureuses, je sais que je ne peux pas me fier à mes instincts, alors je me repose sur la logique. En fait, je ne dois pas être très féminine.

— Toi, manquer de féminité ? Tu plaisantes, n'est-ce pas ? Regarde-toi ! Tu rayonnes au contraire de féminité.

— C'est un camouflage ! Pour mieux me fondre dans la foule. De la poudre aux yeux, si tu préfères. Dois-je te rappeler que l'habit ne fait pas le moine ?

— Désolé, dit-il en souriant, mais le peu d'habits que je t'ai enlevés tout à l'heure m'a suffi pour comprendre que tu étais bel et bien une femme. Une vraie…

Brusquement, elle se sentit rougir. Et dire qu'il avait affirmé ne pas vouloir épiloguer ! Comment en étaient-ils arrivés à cette conversation gênante et absurde ? Elle devait redresser la barre.

— A propos de Norblusky…

— Quel est son nom, déjà ?

— Qui ? Norblusky ?

— Non, cet homme avec qui tu dînes de temps à autre.

— Ah… Il s'appelle Neil. Neil Braddock.

— Et lui, il ne te trouve pas féminine ?

— Eh bien, c'est-à-dire que... Enfin, je suppose que je lui plais comme je suis. Il ne se pose pas la question de savoir si je suis féminine ou non.

Elle savait qu'elle plaisait à Neil et qu'il l'appréciait. La réciproque était vraie d'ailleurs, même si Stacy prétendait qu'elle n'était pas amoureuse. Allons, son amie était une mauvaise langue, voilà tout ! Quant à Ethan, il ne connaissait pas Neil, alors franchement, de quoi se mêlait-il ?

— Je ne comprends pas comment j'en suis arrivée à te parler de ma vie privée ! déclara-t-elle, perplexe.

— Et moi, je ne comprends pas comment une femme capable de m'exciter à ce point prétend qu'elle n'est pas féminine et nie son côté sexy.

A ces mots, le cœur de Claudia fit un terrible bond dans sa poitrine. Et une bouffée de chaleur submergea son être. Déglutissant avec difficulté, elle regarda rapidement vers la fenêtre, puis déclara :

— Merci, mais il y a une différence entre être sexy et être féminine.

— Oh ! dit-il d'un air faussement ingénu. Pour le coup, cette différence relève d'une subtilité toute féminine ! Une femme peut donc être sexy sans être féminine ? Et inversement ? Finalement, ces nuances doivent correspondre à un code féminin qui, en tant qu'homme, m'échappe !

A ces mots, Claudia éclata de rire !

— Curieux ! lui dit-elle. J'avais pourtant l'impression que tu en connaissais un rayon sur les femmes et leur code !

— Mes cousines m'ont tout appris, décréta-t-il alors en ralentissant, car ils approchaient du quartier résidentiel où habitait l'ex-épouse. J'ai des quantités de cousins, et la majorité sont des filles. Elles adorent me donner des conseils.

— Combien en as-tu exactement ?

— Assez pour former deux équipes de football !

— Moi qui croyais être la seule à avoir une grande famille ! Aurais-tu par hasard des origines italiennes ?

— Non, c'est bien une des rares origines que je n'ai pas. Je suis irlandais et anglais du côté de mon père. Là, rien d'extraordinaire. En revanche, du côté de ma mère, c'est bien plus compliqué ! Je suis gallois, suédois, écossais, australien, allemand, apache. Et la légende familiale veut même qu'une de mes trisaïeules ait été une esclave affranchie.

— Tu es un véritable melting-pot à toi tout seul ! s'exclama-t-elle.

Et là, ce fut lui qui éclata de rire.

— Tu sais que c'est une image très sexy, lui dit-il alors d'une voix rauque.

Elle se contenta de lui sourire tandis que son cœur manquait un battement. Qu'il était agréable, finalement, de discuter avec Ethan Mallory. Néanmoins, leur intimité allait s'arrêter là : ils venaient d'arriver chez l'ex-femme de Norblusky. La véranda était tout illuminée.

D'un air pensif, Claudia lui dit alors :

— Je comprends mieux pourquoi tu ne t'es pas remarié. Si tu recherches une personne ayant les mêmes racines que toi, la tâche est ardue. Je présume qu'il n'y a pas beaucoup de gallo-irlando-anglo-autricho-germo-apache dans les environs.

— Tu oublies l'Ecossais et le Suédois qui sommeillent en moi ! dit-il en coupant le moteur. En outre, ce n'était pas ce que je voulais dire.

— Oh, tu voulais parler du milieu social ? Je comprends mieux, à présent. Tu as besoin d'une femme qui gagne le même salaire que toi. Concrètement, comment t'y prends-tu ? Tu devines d'emblée ses émoluments en la voyant ou tu lui demandes directement le montant de son salaire, ou éventuellement celui de ses parents ?

Ils étaient tous deux descendus de la Buick. Il lui lança un petit sourire malicieux, puis la rejoignant sur le trottoir, il répondit :

— Je leur fais remplir un petit questionnaire. Et si notre relation devient sérieuse, alors j'exige qu'elles me montrent leurs feuilles d'impôts. Bon, et à présent, je crois qu'il serait grand temps de cesser de parler de ma vie privée. Mettons-nous plutôt d'accord sur la conduite à adopter pendant l'interview.

— Je te laisse m'exposer la marche à suivre, puisque visiblement tu as déjà une petite idée sur la question.

— C'est très simple, dit-il en passant son bras sous le sien. Comme une valse ! Je te guide et tu me suis.

5.

Deux heures plus tard, Claudia et Ethan remontaient dans la Buick — non sans éprouver une certaine déception. Certes, l'ex-épouse de Norblusky s'était montrée cordiale et s'était efforcée de répondre de son mieux à leurs questions. Néanmoins, elle ne leur avait rien appris de bien déterminant et ne leur avait livré aucune information susceptible de faire avancer leur enquête.

En attendant, la soirée était fort avancée et Ethan mourait de faim ! Le temps qu'il dépose Claudia à son appartement et qu'il rentre chez lui, il serait trop tard pour qu'il se prépare à dîner. Ce qui signifiait qu'il devrait encore commander une pizza ! Ah, il en avait assez de ces pizzas avalées en quatrième vitesse devant la télévision…

Et s'il invitait Claudia à dîner ?

D'ailleurs, de fil en aiguille, qui sait ce qui se passerait *après* le dîner… ? A cette pensée, des picotements de désir étreignirent ses reins. Depuis qu'il avait vu les seins de sa belle « collaboratrice », il avait du mal à contrôler ses pulsions.

Démarrant le moteur, il tenta de calmer ses ardeurs et s'appliqua à respirer régulièrement.

— Demain, je t'accompagne chez Sophia Lamont, déclara Claudia avec cette détermination agaçante qui la caractérisait.

— Curieux, dit Ethan en secouant la tête d'un air amusé, j'aurais juré que tu allais me dire cela. Je développe sûrement des pouvoirs extralucides. Vite ! Choisis un chiffre entre un et dix.

— Deux cents ! s'écria-t-elle en éclatant de rire.

— Je vais finir par croire que tu as raison lorsque tu affirmes que tu es réfractaire aux instructions que l'on te donne.

A ces mots, il lui décocha un regard taquin. En réalité, Claudia s'était révélée une partenaire bien plus utile qu'il ne l'avait initialement cru. Elle savait d'instinct quand elle devait intervenir ou rester en retrait. En outre, elle possédait une grande capacité d'écoute et, en dépit de ce qu'elle pouvait affirmer, se fiait au professionnalisme de son partenaire.

Force était de constater qu'ils formaient tous deux une excellente équipe — aussi surprenant que cela puisse paraître !

— Tu es très doué pour mettre les gens en confiance et leur extorquer des confidences sans même qu'ils en aient conscience, lui dit-elle alors.

Décidément, l'idée d'un dîner en tête-à-tête avec sa pizza — sans Claudia — lui paraissait de plus en plus insupportable.

— Je dois reconnaître que tu te débrouilles assez bien toi aussi. Et tu es même capable de rester silencieuse quand la situation le commande, répartit-il en lui adressant un charmant sourire ironique.

— Contrairement à une opinion répandue sur moi, je n'éprouve pas le besoin de toujours prendre la situation en main. J'interviens uniquement quand les circonstances le requièrent. En l'occurrence, durant cette interview, mon intervention aurait été superflue, puisque tu la menais d'une main de maître.

Il apprécia le compliment, et encore davantage les inflexions chaudes de sa voix.

— Merci, répondit-il. Accepterais-tu d'intervenir en ma faveur pour une requête bien précise ?

— C'est-à-dire ? dit-elle en lui jetant un coup d'œil circonspect.

Il émit un petit rire avant de répondre :

— Rassure-toi, rien de compromettant. C'est au sujet de ton frère. Je ne parviens pas à le joindre. Pourrais-tu m'arranger un rendez-vous avec lui ?

— Sais-tu que j'ai deux frères ? Enfin, je suppose que tu veux parler de Derrick. Honnêtement, je ne comprends pas pourquoi tu tiens tellement à t'entretenir avec lui. Nous sommes sur la piste de Norblusky pour l'instant et il nous reste encore beaucoup de personnes à interroger : ses anciens employeurs, ses amis de beuverie — sans compter sa sœur. Pourquoi veux-tu perdre du temps inutilement ?

Ethan pianota doucement sur son volant. La logique lui dictait de mentir, mais il n'en avait tout bonnement pas envie ! La belle Claudia lui plaisait de plus en plus et il refusait de la duper encore une fois.

— Certes, Norblusky est une piste intéressante, répondit-il. Mais rien ne permet d'affirmer qu'il est impliqué dans le sabotage. Peut-être est-il même entièrement étranger à l'affaire. Voilà pourquoi je ne dois négliger aucune autre piste. Derrick étant responsable du contrôle qualité, il est normal que je veuille le rencontrer. D'autant qu'il était le supérieur direct de Norblusky.

Voilà, c'était dit !

Ethan s'attendait à une explosion de colère indignée de la part de Claudia. Il croyait qu'elle allait exiger des explications immédiates sur les insinuations que contenaient ses propos. Ainsi que des excuses.

Comme rien ne venait, aucune réaction, il osa un regard dans sa direction. Sa passagère se tenait bien droite sur son siège, l'air inquiet, les joues pâles…

Bon sang ! Il aurait encore préféré sa fureur à cette angoisse presque tangible qui crispait ses traits. Il ne supportait pas de lui faire de la peine. Vite, il devait trouver un autre sujet de conversation pour qu'elle oublie ce qu'il venait de dire.

— A quand remonte exactement la querelle de famille qui oppose les Conti aux Barone ? demanda-t-il tout à trac. Et en quoi la Saint-Valentin semble-t-elle être une date fatidique dans leur rapport houleux ?

— Pardon ?

Manifestement, il l'arrachait à de tristes réflexions. Elle lui adressa un petit sourire confus avant de répondre :

— Je suis surprise que Sal Conti ne t'ait rien raconté.

— Lorsque je l'ai interrogé à ce sujet, il a simplement haussé les épaules en marmonnant que tout cela c'était de l'histoire ancienne, et qu'aujourd'hui, personne ne croyait plus aux malédictions. Il a refusé d'être plus explicite. Et puis un jour, je suis tombé sur un article, dans le *Herald*, qui faisait allusion à la Saint-Valentin et à des amants maudits par le sort. En vérité, cet article soulevait beaucoup de questions mais ne répondait à aucune.

— Moi aussi, j'ai lu l'article dont tu parles. Et je t'accorde qu'il était fort décevant. La malédiction à laquelle le journaliste faisait allusion n'est même pas la bonne.

— Il y a donc bel et bien une malédiction !

— Assurément ! Bon, je vais te raconter toute l'histoire, puisque tu y tiens.

— Je suis tout ouïe.

— Il y a quelques décennies, un jeune homme tomba amoureux. Il était pauvre, bien sûr, les meilleurs héros sont toujours indigents, au départ. En revanche, il n'était pas maudit par le sort, car sa dulcinée l'aimait en retour. Un jour de Saint-Valentin, ils s'enfuirent et se marièrent.

— Attends, laisse-moi deviner. Ces deux jeunes gens, c'étaient tes grands-parents, Marco Barone et Angelica… Ah, son nom de jeune fille m'échappe !

— Bonne pioche ! Cette histoire d'amour connut donc une fin heureuse — du moins en apparence. Mais, hélas, toute chose a un coût !

— Le prix en était la malédiction ?

— Non, quelque chose de bien plus grave : la fin d'une amitié. Les Conti étaient des gens aisés alors que les Barone n'avaient pas le sou. Cependant, les familles habitaient le même petit village, en Sicile ; aussi, quand Marco émigra aux Etats-Unis, ce fut sous le parrainage des Conti. Ils l'employèrent dans leur restaurant en tant que cuisinier et c'est là que mon grand-père rencontra la belle Angelica, pâtissière en chef de l'établissement.

En bonne conteuse, Claudia marqua une pause pour faire monter la tension dramatique avant d'ajouter :

— Sa spécialité, c'était les glaces qu'elle confectionnait à partir d'une vieille recette familiale.

— Et c'est avec cette recette que la société *Baronessa* a établi sa réputation ? La recette d'Angelica ?

— Exact !

— La cause de cette querelle, c'est donc l'intérêt ! Les Conti se sont sentis doublement trahis car Marco leur volait non seulement Angelica, mais également sa merveilleuse recette.

— Oh, cela va bien plus loin encore ! Le fils des Conti, Vincent, le père de Sal, avait lui-même un penchant pour Angelica. Et toute la famille espérait bien qu'ils se marieraient ensemble. Et voilà qu'elle s'enfuit avec mon grand-père, que les Conti avaient toujours pensé unir à leur fille, Lucia !

— Une histoire d'amours trahies, en somme ! Et alors, cette malédiction, comment a-t-elle fini par naître ?

— Lucia Conti déclara maudit le jour de la Saint-Valentin puisque c'était à cette date que sa rivale et son promis s'étaient enfuis. Un an plus tard, Angelica faisait une fausse couche — précisément le jour de la Saint-Valentin !

— Coïncidence !

— Peut-être…

— Oh non ! Ne me dis pas que tu crois aux malédictions.

— En général, non, mais dans ce cas précis, les faits me poussent à y croire : le jour de la Saint-Valentin, il arrive toujours des mésaventures, voire des malheurs, au clan Barone. Désormais, chacun de nous est sur les nerfs ce jour-là.

— Dans ces conditions, pourquoi avoir prévu l'inauguration du nouveau sorbet le jour de la Saint-Valentin ? C'était tenter le diable !

— Précisément ! Je présume que quelqu'un a dû se dire : finissons-en avec cette malédiction ! Hélas, tu vois à quoi cela a conduit de vouloir la braver ! Si elle n'était pas invalide, je soupçonnerais d'emblée Lucia Conti. Elle n'a jamais pu oublier la trahison de mon grand-père. Lucia a passé sa vie à ruminer la malédiction. D'ailleurs, elle ne s'est jamais mariée et elle ressemble réellement à une sorcière !

A ces mots, Ethan éclata de rire ! Il connaissait Lucia Conti et Claudia disait l'exacte vérité. La vieille femme cultivait d'ailleurs cette apparence.

— Je suppose que cette ressemblance confère une certaine autorité morale à la malédiction.

— Effectivement, répondit Claudia, pensive. Cependant, même si je peux parfaitement l'imaginer déverser du poivre sur le sorbet avec ses doigts crochus, je ne pense pas un instant qu'elle ait pu mettre le feu à l'usine. Entre les Conti et les Barone, il y a toujours eu une rivalité, mais jamais de la haine, celle qui peut conduire au crime.

— Pourtant, certains membres de ta famille ont avancé le nom des Conti comme suspects.

A ces mots, Claudia le jaugea plus attentivement, puis plissa à moitié les yeux avant de déclarer :

— Je saisis mieux à présent pourquoi Sal Conti a loué tes services : pour que tu fasses taire les rumeurs, n'est-ce pas ?

Ethan se contenta d'opiner du chef. Il n'avait nulle envie d'épiloguer, Claudia n'aurait jamais dû apprendre qui était son client. Il maudissait Bianca d'avait eu la langue si pendue !

— Remarque, poursuivait Claudia, je le comprends, ceux qui dans ma famille accusent les Conti ont tort, et cette guéguerre entre les deux familles a assez duré.

— A t'entendre, on croirait que tu es en mesure de faire quelque chose pour que cela cesse !

— J'aimerais ! Mais pour l'instant, j'ai d'autres priorités ! décréta Claudia.

Là-dessus, elle détacha sa ceinture et, dans une savante contorsion, se pencha vers l'arrière.

— Hep-là ! dit-il en saisissant le bas de son pull. Rassieds-toi !

— Ne tire pas sur mon pull, tu vas le déformer, protesta-t-elle.

Il la lâcha. Il ne pouvait à la fois la maîtriser et conduire ! D'un ton passablement agacé, il demanda :

— Peux-tu me dire pourquoi tu fouilles dans mes dossiers ?

— Regarde la route, s'il te plaît, je suis dans une position inconfortable et je déteste... Ah, voici enfin ce que je cherchais.

Elle se rassit alors sur son siège, brandissant triomphalement un dossier rouge.

C'était le dossier que Nicholas avait remis à Ethan concernant l'enquête menée sur l'incendie. Claudia rattacha sa ceinture et ouvrit le rapport.

— Il fait un peu sombre dans ta Buick, je n'arrive pas à lire. Chez moi, il y a de la lumière.

— Ne compte pas sur moi pour te le prêter.

Soudain, il eut une inspiration et ajouta :

— Si tu veux, on peut s'arrêter quelque part pour dîner et ainsi, tu pourras le lire.

— Ce serait donc une sorte de dîner d'affaires ?

— Exactement !

Des poires ! Voilà ce que lui évoquaient ses seins. D'adorables poires jaune pâle, dont les pointes auraient délicieusement rosi.

— Auras-tu l'audace de te faire rembourser ce repas professionnel par Sal Conti ? Oh, j'aimerais voir sa tête le jour où il recevra la note. Je ne crois pas qu'un Conti ait offert un repas à un Barone depuis la trahison de Marco.

— J'en conclus que tu acceptes mon invitation, enchaîna-t-il promptement. As-tu une petite idée de l'endroit où nous pourrions aller ?

— Je te propose le Paprikà. C'est tout près de chez moi, et l'endroit est suffisamment éclairé pour me permettre de lire. En outre, tu pourras te garer à mon emplacement de parking. Tourne à droite au prochain feu.

— Bien, chef ! dit-il d'un air amusé, saisi d'une excitation subite.

Allons, il s'agissait juste d'un dîner, se rappela-t-il à l'ordre. Pas la peine de s'emballer ! Il allait gentiment manger face à Claudia, et profiter de sa conversation et de ses sourires. Sa compagnie était des plus agréables. Non seulement c'était une belle femme, mais elle était également intelligente et spirituelle.

Pourquoi tenait-elle tellement à lire ce rapport ? Avec Claudia, il fallait s'attendre à tout. Hélas, il existait entre eux des sujets tabous ! Son frère, par exemple ! Si elle s'apercevait qu'il nourrissait de lourds soupçons envers Derrick, nul doute qu'elle le laisserait en plan et qu'il devrait dîner seul !

A cette pensée, il ressentit un pincement au cœur.

Si Derrick était le coupable, Claudia en souffrirait terriblement... Allons, il devait conduire cette enquête sans état d'âme et sans chercher à jouer les protecteurs. S'il était une femme capable de mener sa propre vie sans l'intervention d'un tiers, c'était bien Claudia Barone. Elle était forte et solide.

Ce qui ne signifiait pas pour autant qu'elle fût invulnérable, pensa-t-il encore. Claudia était loin d'être insensible, on l'avait déjà blessée, cela se sentait pour peu que l'on fût un peu attentif. Mais elle était têtue et terriblement orgueilleuse. Elle préférait cacher ses blessures plutôt que les avouer — ce qui ne rendait pas la douleur moins insupportable.

Ah, maudit soit son frère ! pesta Ethan.

Un dîner, cela n'engageait à rien, pensa Claudia tandis qu'après avoir garé la Buick, ils se dirigeaient vers le Paprikà. De nos jours, un homme et une femme pouvaient dîner ensemble sans que cela ne porte à conséquence. D'ailleurs, on ne s'embrassait pas en mangeant un poulet mariné !

— Je ne comprends pas très bien, disait Ethan. Peux-tu m'expliquer pourquoi tu paies un emplacement de parking si tu n'as pas de voiture ?

— Ce n'est pas parce que je ne possède pas de voiture, que je n'en conduis jamais. Il m'arrive d'en louer. En outre, cet emplacement t'a été très utile, ce soir, n'est-ce pas ?

— Tu loues un emplacement pour que les autres puissent se garer ?

— J'aime savoir que la voiture de mes amis est en sécurité.

— Tout de même, de nos jours, il est peu pratique de ne pas posséder de voiture.

— Et moi, je pense le contraire, je me sens plus libre sans véhicule. Encore une fois, si j'en ai besoin pour partir en week-end, par exemple, j'en loue un, c'est aussi simple que cela. Sinon, pour mes déplacements intra-muros, j'utilise les taxis. Avec eux, aucun souci à se faire : on arrive à l'heure aux rendez-vous, les chauffeurs de taxi connaissent tous les raccourcis pour éviter les bouchons.

Décidément, cette femme avait toujours réponse à tout ! se dit Ethan — même s'il continuait de penser que la philosophie de Claudia était toute personnelle !

— Nous voici arrivés, annonça celle-ci.

Elle appréciait énormément le Paprikà. La nourriture y était excellente, le cadre fort agréable et le restaurant offrait l'avantage d'être situé à deux pas de chez elle. Elle était certaine que l'endroit allait plaire à Ethan. Hélas, en ouvrant, la porte, elle comprit qu'il plaisait à une clientèle de plus en plus nombreuse…

— Désolée, Mlle Barone, lui dit Henry, le maître d'hôtel en venant la saluer, je vais devoir vous faire patienter. Puis-je vous offrir, à vous et votre ami, un verre de vin blanc en attendant qu'une table se libère ?

— Volontiers ! Le merlot que vous m'aviez servi la dernière fois était parfait ! Et toi, Ethan, que veux-tu ? demanda-t-elle en se tournant vers lui.

— Rien merci. Viens, on sort de là, il y a trop de monde.

— Allons, c'est ridicule, dans cinq minutes au plus, une table va se libérer ! Ethan, je…

Soudain, elle se figea.

Elle venait d'apercevoir Drake !

Toujours aussi blond et élégant, il portait un costume gris clair, ses mouvements étaient assurés et décontractés à la fois. Il se dégageait de sa personne un charme fou, il le savait et il en jouait. Il avait le don d'éclipser les gens qui gravitaient autour de lui. C'était certainement ce qui lui avait déplu en elle, pensa Claudia, le fait qu'il ne pouvait pas l'éclipser quand ils sortaient tous les deux. Ah, ce qu'elle pouvait le détester !

Evidemment, Ethan l'avait repéré en premier et avait voulu lui épargner cette vue ! Qu'à cela ne tienne ! Elle n'allait tout de même pas fuir devant Drake Anderson ! Soudain, Henry s'approcha d'eux et leur indiqua qu'une table venait de se libérer plus tôt que prévu. Ils le suivirent promptement.

— Que me recommandes-tu ? demanda Ethan en s'emparant de la carte, une fois qu'ils furent assis l'un en face de l'autre.

Curieux, il avait l'air nerveux et avait posé sa question un rien trop fort. La présence de Drake le perturbait-elle lui aussi ?

— La spécialité de la maison, c'est-à-dire, le poulet au paprika, répondit-elle en souriant poliment.

Avant de se rappeler qu'Ethan ne supportait pas qu'elle se force à sourire ! Oh, et puis zut ! Elle était sur des charbons ardents. Certes, elle tournait le dos à Drake, mais elle le savait à deux pas d'elle, accoudé au bar. Elle n'éprouvait plus rien pour lui, néanmoins chaque fois qu'elle le revoyait, le même petit nuage venait assombrir son humeur : le fantôme de ses rêves idiots.

— Est-ce que c'est relevé ? J'adore quand c'est épicé !

— Alors tu vas adorer, répondit-elle d'un air distrait.

Elle connaissait l'un des deux hommes avec qui Drake se trouvait : Will, un avocat d'affaires à l'humour douteux. Soudain, des bribes de leur conversation parvinrent jusqu'à elle. Des éclats de rire aussi. Elle baissa le nez dans son assiette et sentit la moutarde lui monter au nez.

Les goujats étaient en train de parler d'elle ! Que faire ? Elle sentait qu'elle allait exploser… D'après ce qu'elle percevait de l'échange, Drake était en train de livrer, sans pudeur aucune, les détails de leur ancienne intimité !

Subitement, la conversation lui parvint très distinctement.

— Même au lit elle voulait avoir le dessus et ne supportait pas que je sois sur elle. Une fois, ça va, mais tout le temps ? C'était infernal !

Les trois compères éclatèrent de rire. Un rire qui résonna atrocement dans tout son être. Drake allait le payer cher ! se jura-t-elle au moment où Ethan déclarait, en se levant :

— Excuse-moi un instant.

Posant sa serviette d'un geste brusque sur la table, il se dirigea sans l'ombre d'une hésitation vers Drake.

— Attends, dit-elle en tentant de l'attraper par le bras au moment où il passait à côté d'elle.

Mais rien n'aurait pu l'arrêter. Se plantant derrière Drake, il lui tapa sur l'épaule.

— Oui ? dit ce dernier en se retournant, riant encore de sa bonne plaisanterie.

— Je me trompe, ou bien tu es en train de te moquer de la femme qui m'accompagne ?

— Bravo, détective Mallory, fit Drake. Tu as vu juste !

— C'est mon métier, Anderson, suivre mes intuitions !

Les deux hommes allaient-ils en venir aux mains ? se demanda Claudia. Elle ne doutait pas qu'Ethan pouvait donner une bonne correction à Drake. Et au fond d'elle-même, elle s'en réjouissait !

Soudain, elle retint un petit cri. Ethan venait d'attraper Drake par le revers de sa veste. La situation se corsait !

— Enlève tes sales mains de mon costume ! aboya Drake.

— Il me semble que tes amis ne connaissent pas Claudia, enchaîna Ethan d'un air souverain. C'est pourquoi je tiens à leur préciser qu'elle prend les choses en main uniquement quand il est nécessaire d'intervenir. Quand le partenaire n'est pas à la hauteur, par exemple.

— Qu'es-tu en train d'insinuer ? dit Drake, furieux.

— Je n'insinue rien, je parle en connaissance de cause. Lorsque Claudia sait que son partenaire est capable de mener la barque, elle lui passe la main. Je tenais juste à faire cette petite mise au point. A bon entendeur !

Là-dessus, il lâcha le revers de sa veste et pivota sur ses talons pour revenir vers Claudia.

— Et toi, attends un peu ! s'écria Drake en le saisissant par le bras.

Ethan se dégagea alors violemment et pivota sur ses talons pour lui faire face. Son visage menaçant indiquait qu'il était prêt à en découdre. A cet instant, comprenant que la situation allait dégénérer, les amis de Drake s'interposèrent et entraînèrent celui-ci vers la sortie.

Claudia avait assisté à la scène le cœur battant, à la fois amusée et excitée. C'était… C'était si… Bref, elle n'avait pas de mot pour qualifier ce qu'elle ressentait. Comme Ethan se rasseyait à la table, elle lui demanda :

— L'aurais-tu réellement frappé ?

— S'il avait ouvert les hostilités, j'aurais renchéri. De fait, j'espérais presque qu'il le ferait pour pouvoir lui ficher mon poing sur la figure. Ne m'en veux pas, mais franchement, ce type est odieux ! J'avais envie de lui clouer le bec !

— Je ne t'en veux pas, au contraire.

— Vraiment ? dit-il en paraissant soudain se détendre.

— Non, je t'assure, c'était franchement jubilatoire !

Personne n'avait jamais pris sa défense de cette façon. En général, elle se défendait seule ou c'était elle qui venait au secours des autres. De fait, elle aurait parfaitement pu affronter Drake, ce soir, mais il était si savoureux de voir un homme voler à votre secours…

Surtout quand cet homme était le détective Ethan Mallory ! Elle souriait encore en repensant à la façon remarquable dont il venait d'humilier l'homme qui cherchait précisément à la rabaisser. Bien fait pour Drake ! Finalement, c'était lui qui passait pour sexuellement défaillant — et non l'inverse. L'arroseur arrosé, en somme.

— Merci encore, lui dit Claudia avec un merveilleux sourire, les yeux adorablement plissés. Je me sens enfin vengée de Drake !

Ce soir-là, Claudia en oublia de lire le rapport, préférant profiter de l'agréable conversation de son beau compagnon.

6.

— Qu'en penses-tu ? demanda Claudia en brandissant deux robes sous le nez de son amie. La bleue ou la noire ?

— Je pense surtout que tu devrais baisser le son de la télévision, observa Stacy, tranquillement assise sur le sofa.

Elle observait son amie qui ne cessait de faire le va-et-vient entre sa chambre et le salon, en quête de la tenue idéale.

— Pourquoi ? On n'entendrait plus rien ! Enfin, Stacy, je te rappelle que ce sont les Patriots qui défendent leurs couleurs, ce soir.

— Je me rends surtout compte que tu regardes du football, rétorqua Stacy d'un air dédaigneux.

Baissant les yeux vers le sachet de tortillas posées sur la table basse, elle choisit la plus grosse et la plongea dans le bol de guacamole préparé par les soins de Claudia.

— Où Neil t'invite-t-il ce soir ? demanda-t-elle d'un air détaché.

— On va voir un film étranger, à la cinémathèque. On dînera après.

— Prends garde qu'il ne t'entraîne pas dans un sushi bar. Il adore les sushi.

— D'abord, moi aussi j'aime beaucoup les sushi, c'est une nourriture saine et digeste, et ensuite, comment sais-tu que Neil *adore* les sushi ?

— Parce qu'il me l'a dit ! Rappelle-toi, on s'est déjà rencontrés, lui et moi. C'était le jour où tu lui avais donné rendez-vous chez toi et, te rendant compte que tu ne serais pas à l'heure à cause des bouchons, tu m'avais prié de venir lui tenir compagnie en attendant que tu arrives.

Le temps d'engloutir une autre tortilla nappée de guacamole, Stacy ajouta :

— On n'est pas restés à se regarder dans le blanc des yeux, on a parlé !

— Bon, concéda Claudia d'un air malicieux, il est vrai que Neil m'a proposé d'aller dîner dans un sushi bar, mais moi je lui ai suggéré un restaurant indien. Cela fait une éternité que je n'ai pas mangé un bon curry.

Contemplant une dernière fois d'un air hautement sceptique ses deux robes, elle fonça dans sa chambre et les raccrocha dans la penderie avant d'en sortir un ensemble veste-pantalon en soie verte, acheté dans une boutique chinoise. Elle adorait cette tenue car elle avait alors l'impression de sortir en pyjama ce qui lui procurait la même jouissance que l'on éprouve en transgressant un interdit.

D'ailleurs, si cet ensemble fort seyant ne suscitait pas chez Neil autre chose qu'un baiser sur les lèvres au moment de se quitter, alors il était à désespérer que leur relation se concrétise un jour.

— Ce n'est pas une bonne idée ! décréta Stacy qui l'apercevait du sofa. Mets ta robe noire ! Si vous allez à la cinémathèque, tu auras l'air bien trop excentrique avec cet ensemble vert ! Dans ce genre de lieu, le public est généralement vêtu avec sobriété. C'est pourquoi je te conseille une tenue neutre, au risque de mettre Neil extrêmement mal à l'aise.

En soupirant, Claudia remit l'ensemble dans le placard et déclara :

— Es-tu venue pour me remonter le moral, ou pour me faire la leçon ?

— Je suis venue pour prendre ma nourriture qui se trouve dans ton frigo et manger ton guacamole. Mes conseils concernant ta garde-robe sont un bonus ! annonça Stacy avec un petit air dédaigneux.

Cet après-midi, le réfrigérateur de Stacy était tombé en panne, et comme elle habitait l'appartement en face, elle était venue chez Claudia placer le contenu de son réfrigérateur dans le sien.

— Et pour l'amour du ciel, ajouta-t-elle, baisse le son de la télé ! Où est ta télécommande ? Tiens-tu vraiment à nous rendre sourdes ? Depuis quand t'intéresses-tu au football ? Je doute que Neil soit en train de regarder ce match !

Neil, non, mais Ethan, si ! pensa Claudia.

Ils avaient déjà discuté du match ensemble, et établi leur pronostic. Selon Claudia, la partie allait être ardue pour les Patriots car l'équipe adversaire comptait dans ses rangs un nouvel attaquant — une véritable tornade — qui risquait de leur donner du fil à retordre. Ethan avait rejeté l'argument d'un haussement d'épaules. Les Patriots étaient les meilleurs et ne craignaient personne ! Certes, avait rétorqué Claudia. Il n'empêche que, sans envisager leur défaite, elle ne leur prédisait pas un score mémorable.

Regardait-il le match seul ? se demanda-t-elle, subitement mélancolique. Avec des amis, peut-être ? A moins qu'il ne soit en compagnie d'une femme…

Bah ! Qu'est-ce que cela pouvait bien lui faire ?

— Je ne suis pas d'humeur à porter du noir, décréta-t-elle subitement en reposant sa robe.

Elle ressortit la bleue. C'était un fourreau doté d'un col mandarin, fendu sur le côté droit et orné d'un superbe dahlia orange, au niveau de la hanche gauche.

Une clameur subite s'éleva du poste de télévision. Laissant tomber la robe sur le lit, Claudia se précipita devant l'écran. Le commentateur s'étranglait d'excitation dans le micro et les supporters étaient debout dans les tribunes. Que s'était-il passé ?

Heureusement, à cet instant, la chaîne rediffusa la scène qu'elle venait de manquer. Le nouvel attaquant fonçait vers la ligne adversaire, ballon sous le bras.

— Vas-y ! s'écria Claudia en sautant de joie, poings serrés.

Stacy lui lança un long regard suspicieux et déclara :

— Je sais que tu t'y connais bien mieux que moi en football, néanmoins... Es-tu certaine de soutenir la bonne équipe ?

— Je ne les soutiens pas, j'ai fait un pari, c'est tout !

— Pardon ? Tu as parié contre les Patriots ? Au secours, appelez les pompiers, c'est pour une urgence ! dit Stacy désabusée.

— Allons, ne sois pas stupide. J'avais seulement parié que ce nouvel attaquant allait mener la vie dure aux Patriots. Et évidemment, Ethan m'a ri au nez ! J'ai bien vu que l'opinion d'une femme en la matière était négligeable à ses yeux.

— Et comment se fait-il que tu parlais football avec Ethan Mallory ? Je croyais que votre seul sujet commun, c'était l'enquête. Qu'il n'y avait pas de relations *personnelles* entre vous. Du moins, c'est ce que tu m'as affirmé.

— Allons, Stacy, il ne s'agissait que de football, un sujet parfaitement banal, et sûrement pas intime. Ethan est un ancien joueur de foot, le sujet s'est imposé de façon tout à fait naturelle.

— Mouais ! fit Stacy peu convaincue. Et mis à part le football, l'enquête a-t-elle progressé ?

— Aujourd'hui, nous avons interrogé un ancien collègue de Norblusky, mais cette rencontre n'a pas été très concluante. Demain, nous avons rendez-vous avec sa sœur. Peut-être allons-nous apprendre des informations intéressantes.

— Pourquoi se confierait-elle à vous ? Je te rappelle que c'est sa sœur, logiquement, elle cherchera à le protéger.

— Ethan est doué pour faire parler les gens sans qu'ils aient l'impression de se confier.

— Tu ne te débrouilles pas trop mal de ton côté ! observa Stacy.

— C'est vrai, je dois admettre que nous formons un bon tandem, lui et moi. Ah non ! s'écria soudain Claudia.

Le redoutable attaquant venait encore de marquer un point ! Elle souhaitait un match animé, pas la défaite des Patriots.

— Je croyais que tu soutenais ce joueur ! observa Stacy.

Haussant les épaules, Claudia s'assit à côté de son amie et plongea une tortilla dans le guacamole.

— Qu'avez-vous parié, Ethan et toi ? demanda perfidement Stacy.

Claudia ébaucha un lent sourire et répondit :

— Quelque chose d'assez important pour rendre l'enjeu intéressant !

— Allons, tu ne vas pas ruiner ce pauvre détective !

— Stacy ! s'indigna Claudia. Comme si l'argent m'intéressait. Il ne s'agit pas du tout de cela !

— De quoi alors ? Ah non, ne me dis pas que...

— Mais non, je ne lui ai pas demandé de m'accorder ses faveurs si je gagnais ! Juste le droit de jubiler une journée entière. Franchement, crois-tu que j'étais prête à offrir mon corps à Ethan ?

— Ce que je crois, c'est que tu as envie de lui !

Stacy avait raison. Cependant, Claudia contrôlait la situation en ce qui concernait Ethan. Plongeant la main dans le sachet de chips, elle se resservit sans broncher, sous le regard sévère de son amie qui aurait tout de même apprécié que Claudia émette une petite protestation — ne serait-ce que pour la forme — face à son ultime observation.

Non sans soupirer, Stacy reprit :

— Peux-tu m'expliquer pourquoi tu sors avec Neil alors que tu n'éprouves rien pour lui ?

Bonne question ! A laquelle Claudia pouvait fournir de nombreuses réponses. Pour commencer, Neil était un homme adorable et attentionné. Il était très cultivé et tous deux partageaient de nombreux intérêts communs. Elle l'avait rencontré lors d'une réunion de travail destinée à mettre au point un programme de visiteurs à domicile pour les malades du SIDA, dans le cadre d'une organisation caritative qu'elle soutenait financièrement. Neil possédait une clinique dans le sud de Boston. C'était un être entièrement dévoué à autrui, et si patient.

Trop patient en ce qui la concernait ! pensa Claudia en allant mettre sa robe. Elle aurait aimé qu'il fasse preuve d'un peu plus d'énergie envers elle, de passion. Curieusement, elle n'avait pas envie de prendre les choses en main, car une question la taraudait : Neil lui plaisait-il autant qu'elle l'affirmait ?

Il aurait été facile de l'attirer dans son lit, elle le savait. Mais ne s'était-elle pas juré de ne pas répéter les erreurs du passé, à savoir courtiser ouvertement un homme sans être certaine des sentiments qu'il nourrissait pour vous ? D'ailleurs, ce soir, elle aurait préféré rester à la maison, regarder tranquillement le match en compagnie de Stacy tout en grignotant ses chips et sa sauce mexicaine. Ce qui en disait long sur l'avenir de sa relation avec Neil…

En réalité, la personne avec qui elle aurait aimé regarder ce match, ce n'était pas Stacy… *mais l'homme à qui il valait mieux qu'elle cesse de penser puisque ce n'était pas avec lui qu'elle allait sortir !*

— Eh bien, Claudia, est-il si difficile que cela de répondre à ma question ? demanda Stacy avec un petit sourire mi-amusé, mi-triste.

— Je sors avec Neil parce que je lui ai promis que nous sortirions ensemble, voilà, c'est aussi simple que cela.

— Si tu avais tellement envie de voir le match, tu aurais pu choisir un autre jour pour aller dîner avec Neil.

A vrai dire, tellement accaparée par son enquête avec le beau détective, elle avait déjà refusé deux rendez-vous. Mais elle ne tenait pas spécialement à en informer Stacy !

— Dis-moi, Stacy, pourquoi sommes-nous amies toutes les deux ? demanda-t-elle subitement. Nous n'avons pas réellement les mêmes goûts — pas plus que Neil et moi.

— Tu oublies tous les souvenirs qui nous lient ! protesta son amie. Le lycée, les camps de vacances, la fac, les soirées communes. Shane Hillbright.

— Tiens, je l'avais oublié, celui-là, dit Claudia en riant. Tu me l'avais volé, mais finalement, tu ne l'as pas épousé.

— Shane avait de superbes fossettes, mais il était d'un ennuyeux… !

Les deux amies éclatèrent joyeusement de rire.

— Te souviens-tu de Johnny, ton premier petit ami ? enchaîna Claudia.

— Oh, oui, c'était l'année qui précédait le bac ! Au moment où toi, tu organisais ta première collecte de fonds en faveur de je ne sais plus quelle cause !

— Et nos vingt ans à Londres, tu te rappelles ?

Un coup de sonnette impatient interrompit le chapelet de leurs souvenirs. Claudia lança un regard désespéré à son amie et demanda :

— Pourquoi est-ce que je dois sortir avec Neil ?

— Parce que tu le lui as promis ! Mais il va falloir être courageuse et lui dire la vérité, ce soir.

— Je sais, fit Claudia en poussant un long soupir.

Ethan souleva le rideau. C'était une journée grise comme l'ennui. Le ciel était lourd de nuages et toute la ville semblait recouverte d'un voile sombre. Même les feux de circulation se diluaient dans la grisaille ambiante.

Claudia serait là bientôt. Elle devait assister à il ne savait plus quel événement caritatif cet après-midi, aussi étaient-ils convenus de travailler le matin. Ils avaient rendez-vous à 9 heures. Néanmoins, depuis la veille, des événements s'étaient produits qui avaient conduit Ethan à remanier ses plans. Des plans qui excluaient la présence de Claudia à ses côtés.

8 h 30, déjà, constata-t-il, nerveux, en regardant sa montre. Il ne devait plus s'attarder et filer rapidement avant l'arrivée de Claudia.

Encore fallait-il que Rick se dépêche !

Soudain, les escaliers craquèrent et il reconnut le pas lourd et familier de son cousin. Qui, quelques secondes plus tard, entrait sans frapper.

— Pourquoi cet air lugubre ? demanda Rick sans même saluer Ethan.

— Pour être en harmonie avec le temps !

— Eh bien, c'est réussi ! On jurerait que tu reviens d'un enterrement. Bon, si c'est personnel, tu as le droit de ne rien dire. En tout cas, ce n'est pas à cause du match d'hier, puisque les Patriots ont gagné.

— C'est vrai, même si ce n'était pas une victoire assez écrasante.

— Aurais-tu parié sur le nombre de points qu'ils allaient marquer ? Je croyais que tu ne faisais jamais ce genre de pari !

— Ecoute, s'impatienta Ethan, je ne t'ai pas demandé de venir pour commenter le match de foot d'hier ou mes états d'âme, O.K. ? Cela ne t'ennuie pas qu'on parle travail ?

— Comme tu voudras, dit Rick, un petit sourire ironique aux lèvres. Je t'écoute.

— Il y a du nouveau.

Ce disant, il ouvrit un tiroir et lui tendit le fax qu'il avait reçu durant la nuit et trouvé ce matin sur son bureau. Rick s'en saisit et commença à le parcourir avec une curiosité non dissimulée.

— D'où tiens-tu ces informations ?

— J'ai mes sources, ce n'est pas le problème.

— J'espère que tu restes dans le cadre de la légalité, observa Rick d'un air suspicieux.

Il continua sa lecture, tandis qu'Ethan se replongeait dans le spectacle de la rue. C'était Rick qui accompagnerait Claudia chez la sœur de Norblusky, pendant que lui, Ethan, irait enquêter dans un quartier mal famé de la ville, où les femmes dotées de toute leur raison ne devaient mettre les pieds sous aucun prétexte.

— Derrick Barone, c'est bien le frère de Claudia ? demanda Rick en reposant le fax.

— Exact !

— Le relevé de son compte en banque nous apprend qu'il a fait d'énormes dépenses, ces derniers temps, même pour un homme aussi fortuné que lui. Enfin, il n'est pas encore dans le rouge. Remarque, son compte a pu être renfloué par son père ou son oncle.

— Effectivement, mais je ne crois pas.

— Que te dit ton intuition, alors ?

— Que Derrick a payé des maîtres chanteurs. Ou des complices.

— Si je te suis bien, tu penses qu'il est impliqué dans le sabotage ou l'incendie. Ou les deux.

— Oui, malheureusement.

— La police se concentre pour sa part sur la disparition de Norblusky. Il n'a jamais été question de soupçonner Derrick Barone, rétorqua Rick.

— Norblusky, c'est pour brouiller les pistes !

— Pourquoi ? Il a le profil d'un suspect. C'est tout de même lui qui conduisait la camionnette au moment du sabotage. Et puis, il a exprimé haut et fort tout le mal qu'il pensait des Barone après l'incendie et enfin il a mystérieusement disparu. En outre, il travaillait depuis suffisamment de temps à l'usine pour connaître le fonctionnement du système de sécurité.

— Oui, j'en conviens, Norblusky fait un suspect idéal — à condition de penser qu'il est assez intelligent pour avoir fomenté un sabotage. Et moi, je ne le crois pas.

— Selon toi, il aurait pu déclencher un incendie, mais pas verser du poivre dans un sorbet ?

— Pour le feu, c'était facile. Il suffisait de répandre de l'essence et de frotter une allumette. En revanche, pour le sabotage, c'était un plan digne de *Mission impossible* !

— Etait-ce si compliqué que cela ?

— L'accident du camion transportant le poivre n'était pas fortuit. Sa marchandise s'est répandue sur la chaussée juste devant la fourgonnette de la société *Baronessa*, de sorte à l'immobiliser et créer un bouchon. A cet instant, une personne est sortie du camion, pour grimper dans le van et saupoudrer le sorbet de poivre. Cela requiert au moins la présence de deux, voire trois personnes. Le conducteur du camion de poivre et, éventuellement, Norblusky, tous deux ayant d'ailleurs disparu. En outre, le camion était loué sous un faux permis de conduire.

— Je t'accorde que Norblusky n'a pas le profil de *Mission impossible*, fit Rick en riant.

— Non, renchérit Ethan d'un air désabusé, son héros à lui, ce serait davantage Homer Simson ! Trois personnes connaissaient le circuit que le van allait emprunter : Norblusky, son supérieur immédiat — un certain Aaron Fletcher — et leur chef, Derrick Barone.

Rick hocha lentement la tête et déclara :

— J'espère pour toi que le complice, c'est Fletcher. Tu as vérifié, de ce côté-là ?

— Je travaille dessus !

A l'insu de Claudia ! Il avait mauvaise conscience de lui dissimuler la moitié de ses recherches, mais impossible d'agir autrement.

— Et pour enquêter sans entrave, tu souhaites que j'accompagne Claudia chez la sœur de Norblusky, n'est-ce pas ? demanda Rick qui comprenait la position délicate de son cousin par rapport à Claudia. Que je l'éloigne de toi ?

— Exact. Je dois retrouver Norblusky. Et savoir qui l'a payé pour disparaître.

— Et s'il avait disparu pour de bon ? Liquidé ?

— Par pitié, j'espère bien que non.

Si le frère de Claudia était impliqué dans un meurtre, elle serait complètement désespérée… Et elle le détesterait, lui, d'avoir démasqué son frère. Bon sang, pourquoi avait-il accepté cette enquête ?

Allons, il devait faire son métier, garder la tête froide ! D'abord, lui et Claudia ne sortaient même pas ensemble et dès que l'enquête serait terminée, ils ne se reverraient plus.

Passant une main dans ses cheveux, Ethan reprit :

— Je pars de l'hypothèse que Norblusky est encore en vie. Et si tel n'est pas le cas, alors ce seront tes collègues qui prendront le relais.

— Claudia n'est au courant de rien, n'est-ce pas ?

— A ton avis ?

— Si tu veux mon avis, elle va tout faire pour sauver son frère si elle apprend que tu le soupçonnes. Ce qui compromettra le bon déroulement de ton enquête. Claudia te plaît, n'est-ce pas ? Enfin, je veux dire, en dehors du fait que tu aies envie de coucher avec elle, si ce n'est déjà fait.

— Oui, répondit Ethan, d'une voix voilée par l'émotion.

A quoi bon le nier ? Claudia lui plaisait, sa compagnie lui plaisait, tout en elle lui plaisait.

Avec cette enchanteresse, il se s'ennuyait jamais, elle était si surprenante ! Il aimait l'écouter, la regarder. Oh oui, la regarder ! Il ne se lassait jamais du spectacle qu'elle offrait, avec ses jambes incroyables et sa façon toute particulière de tenir sa nuque bien droite. Une nuque gracieuse, qu'il adorait. Et puis, Claudia avait l'œil vif. Quant à son rire… Ses échos rauques venaient toujours résonner sensuellement au creux de ses reins.

En un mot, il était dans de sales draps !

— Bon, dit-il en reprenant ses esprits, je dois disparaître avant qu'elle ne pointe le bout de son nez. Il est presque moins dix et elle est d'une ponctualité obsessionnelle. Je vais emprunter l'escalier de secours pour ne pas tomber nez à nez avec elle.

— A propos, où vas-tu exactement ?

— Boots m'a appelé, répondit Ethan en enfilant son blouson. Il a quelque chose à me dire.

— Bon sang, Ethan, tu le connais, il faut se méfier de ses informations !

— Je sais, mais il peut parfois être utile. Evidemment, moi, je n'ai pas les moyens de me payer d'aussi bons indics que la police. Les tiens, je présume qu'ils disent toujours la vérité ?

— C'est bon, Ethan, fit Rick d'un air agacé, cesse de chercher la polémique et écoute plutôt mes conseils : ne te rends pas seul dans le quartier mal famé où Boots fait régner sa loi. Attends mon retour ! Même les flics ne s'aventurent jamais tout seuls là-bas.

— La solution, c'est de ne pas avoir l'air d'un flic et on vous fiche la paix.

— Rassure-toi, tu n'as pas du tout l'air d'un flic. On te prendrait plutôt pour un souteneur.

— Ravi de l'apprendre ! De cette façon, je pourrai me fondre dans la faune du quartier.

— Promets-moi d'être prudent !

— Entendu ! Et toi, pas d'entourloupe avec Claudia, compris ?

*
* *

Le cœur de Claudia battait à tout rompre lorsqu'elle redescendit les escaliers sur la pointe des pieds, évitant de faire craquer les marches.

C'était la meilleure ! Ethan avait décidé de s'esquiver sans elle. S'il croyait qu'elle allait le laisser faire ! Elle devait absolument découvrir ce qu'il tramait derrière son dos. Elle serra les poings : il ne l'emporterait pas au paradis, il allait voir à qui il avait affaire.

Arrivée dans la rue, elle repéra sa Buick. Nul doute qu'il allait prendre sa voiture, il ne jurait que par ce moyen de locomotion. Ce qui signifiait qu'elle, elle devait trouver un taxi. Elle leva la main pour en héler un, tandis qu'Ethan arrivait à la hauteur de sa voiture. Heureusement, il ne l'avait pas vue. Il avait eu raison de prendre l'escalier de secours se réjouit-elle alors. Un détective pris en filature, c'était par trop cocasse !

Ainsi, Ethan avait avoué qu'elle lui plaisait…

Un large sourire barra son visage. C'était cet aveu qui l'avait retenue de pousser la porte entrouverte de son agence alors qu'elle s'apprêtait à entrer, toute confiante.

Certes, l'aveu l'avait remplie d'aise…

Mais le reste de la conversation l'avait proprement indignée !

7.

Au moins, elle n'était pas perdue, c'était déjà ça ! Car il convenait de positiver, pensa Claudia tout en arpentant le trottoir défoncé de ce quartier de Boston qui avait la triste réputation d'être une zone de non-droit, et où tous les trafics fleurissaient, la police n'osant guère s'y aventurer.

Comme elle remontait la rue, un vieil homme en hardes et appuyé contre un mur, inspirant bien davantage la pitié que la peur, la fixait de ses yeux vides.

De temps à autre, des voitures rasaient le trottoir, l'autoradio hurlant à tue-tête. Elle croisa deux vieilles femmes qui marchaient tête baissée, visiblement désireuses de rentrer chez elles au plus vite, comme si elles fuyaient un danger.

Et brusquement, en face d'elles, surgirent trois jeunes gens vêtus à la mode gangsta rap, arborant des pantalons baggy et des vestes rouge et noir. Ils se tenaient devant l'entrée d'un immeuble et l'odeur qui se dégageait de leurs cigarettes indiquait qu'ils fumaient bien autre chose que du tabac. A cette heure matinale, Claudia espérait qu'il ne s'agissait pas de drogues dures !

Comme elle passait devant le petit groupe, l'un des jeunes gens lui fit une offre indécente sur un air désinvolte, tandis qu'un deuxième éclatait de rire. Le troisième pour sa part l'interpella vivement en lui demandant si, par hasard, elle n'était pas sourde. N'avait-elle pas remarqué qu'on lui adressait la parole ?

Claudia accéléra le pas.

La situation aurait pu être bien pire, se dit-elle pour se rassurer. Il aurait pu faire sombre, par exemple. Encore que de nuit, elle ne serait jamais aventurée hors du taxi, si tant est que le chauffeur ait accepté de la conduire jusqu'ici. Même en plein jour, il s'était montré réticent !

Claudia resserra les doigts sur sa mini bombe lacrymogène, dans son sac à main. Si au moins ce stupide chauffeur de taxi avait consenti à l'attendre, ainsi qu'elle l'en avait prié. Mais non ! A peine arrivé, le couard n'avait plus eu qu'une obsession : fuir au plus vite ce quartier maudit dans lequel il évitait toujours de se rendre. En l'occurrence, le large pourboire de Claudia l'avait décidé à y déposer sa cliente, mais sa coopération s'arrêterait là, l'avait-il prévenue.

Au départ, elle n'avait nullement l'intention de descendre du taxi sans être assurée de pouvoir compter sur la présence rassurante d'Ethan. Elle connaissait la réputation du quartier ! Son idée, c'était de suivre Ethan jusqu'à sa destination et de lui imposer sa présence au moment où il sortirait de sa Buick.

Hélas, les embouteillages avaient déjoué ses plans !

Son taxi avait été ralenti par une camionnette de livraison et ses arrêts fréquents sur la chaussée, si bien qu'elle avait fini par perdre de vue la Buick. Elle l'avait de nouveau repérée dès que son taxi s'était engagé dans le quartier sensible, pour constater qu'elle était vide… et apercevoir l'ombre d'Ethan s'engouffrer dans un immeuble, au bout de la rue qu'elle remontait à présent.

Tiens, c'était précisément dans cet immeuble qu'il était entré, pensa Claudia en arrivant devant la porte. Elle inspecta la bâtisse. Trois étages recouverts de graffitis dépourvus d'imagination, une fenêtre sur deux condamnée par des planches… Franchement, il y avait plus accueillant comme endroit !

Elle hésita à entrer, dépassa l'immeuble, revint sur ses pas. Recommença la manœuvre.

Mon Dieu, pourquoi était-elle descendue du taxi ?

Elle avait estimé qu'à cette heure matinale, le quartier serait calme — la faune qui la peuplait la nuit devant forcément dormir le jour. Et puis ce n'était pas la première fois qu'elle venait par ici — enfin, pas précisément dans cette rue qui la mettait particulièrement mal à l'aise ! En effet, elle avait financé non loin de là l'ouverture d'un centre social pour femmes battues et il lui arrivait de le visiter pour vérifier si tout fonctionnait correctement. Cependant, elle ne s'attardait jamais à l'extérieur : elle descendait promptement du taxi pour s'engouffrer dans le bâtiment et, pour le retour, appelait un taxi et attendait qu'il soit arrivé avant d'en ressortir. En outre, le centre ne se trouvait pas au cœur de ce no man's land mais était situé aux abords. Quelques rues faisaient toute la différence dans ce quartier mal famé !

Elle ne parvenait toujours pas à se décider à pénétrer dans l'immeuble. Il lui paraissait si lugubre ! Au coin de la rue, elle aperçut soudain une jeune femme qui lui lança un regard hostile. De toute évidence, il s'agissait d'une prostituée. Sa chevelure décolorée était rouge vif. Elle portait un manteau en cuir rouge ouvert sur le devant, qui dévoilait un mini top en strass et des abdominaux remarquables. Ses ongles étaient recouverts d'un vernis aussi rouge que sa chevelure et ils étaient assez longs pour lui servir d'arme. Ne souffrait-elle pas du froid, dans cette petite tenue ? se demanda Claudia avant de l'aborder.

— Bonjour, lui dit-elle en lui souriant aimablement. Il fait un froid polaire, vous ne trouvez pas ? Encore heureux qu'il n'y ait pas de vent.

Peu sensible à sa courtoisie, la femme lui conseilla de déguerpir, et ce dans un langage fort cru. Sans se laisser décourager, Claudia reprit, sur un ton moins compassé :

— Ecoute, je ne cherche pas à te causer des ennuis, je suis juste un peu nerveuse. Ces types, là-bas, ils ne m'inspirent pas confiance, ils m'ont agressée verbalement.

Son interlocutrice la jaugea un instant plus attentivement, puis parut se radoucir.

— Tu as raison de t'en méfier, ce ne sont pas des tendres.

— Oui, c'est ce que j'ai cru comprendre, dit Claudia avant d'ajouter : A propos, j'aime beaucoup tes boots.

La femme jeta un coup d'œil vers ses chaussures en cuir rouge et violet. Puis de nouveau décocha à Claudia un regard suspicieux :

— Curieux ! Quelque chose me dit pourtant que ce n'est pas vraiment ton style.

— Pas dans cette couleur, mais en bleu, pourquoi pas ? Ça irait bien avec ma veste. Les as-tu achetées dans le quartier ?

Son interlocutrice se mit à rire et répondit :

— Oui, dans un endroit où tu n'oserais même pas entrer ! Mais trêve de plaisanterie, chérie ! Pourquoi es-tu venue traîner par ici ? Ne me dis pas que c'est pour le *bizness*, tu n'as pas la tête d'une travailleuse de rue.

— J'attends un homme, répondit Claudia.

— Nous en sommes toutes là ! dit la femme d'un air blasé.

— L'homme en question est entré dans l'immeuble aux graffitis, il y a dix minutes environ. Au départ, je voulais le suivre et finalement, je me suis dit que ce n'était peut-être pas une bonne idée.

Non seulement le sol était jonché de seringues et de détritus et les murs décrépis, mais elle ignorait à quel étage Ethan s'était rendu, et à quelle porte il avait frappé. Même si la rue n'était pas vraiment agréable, elle lui semblait moins hostile que cet immeuble sombre et malodorant.

Au départ, elle avait attendu près de la Buick jusqu'à ce que deux hommes la repèrent et s'avancent vers elle. Alors elle avait regardé sa montre, tapé du pied impatiemment pour faire croire qu'elle attendait une personne en retard, puis avait remonté la rue en direction de l'immeuble, davantage pour fausser compagnie aux opportuns que pour réellement rejoindre Ethan à l'intérieur.

Soudain, une auto klaxonna. Sa compagne de fortune se déhancha dans un mouvement provocateur et adressa un sourire enjôleur au conducteur, dont le regard passa de la prostituée à Claudia. Il secoua la tête et démarra en trombe.

— Tu m'empêches de travailler, lui reprocha aussitôt la fille. Va attendre ailleurs, s'il te plaît.

— Pourquoi ce type a-t-il changé d'avis en me voyant ? demanda Claudia, vaguement offensée.

— Parce que tu ne cadres pas dans le décor, chérie. Il a dû te prendre pour une assistante sociale ou un flic en civil.

— Un flic ? C'est bien la première fois qu'on me prend pour un flic.

— Pour ma part, je pense que tu es une de ces prétendues bonnes âmes bourrées de fric qui s'occupent du centre social pour femmes battues.

— Et alors ? Quel mal y a-t-il à cela ?

— Si tu veux sauver ces femmes, paie-leur des cours de musculation afin qu'elles soient capables de décocher des coups de poing aux salauds qui les frappent. Regarde-moi ! Je peux t'assurer que pas un n'essaie de me chercher des ennuis.

— Pour cela, je te fais confiance. Hélas, toutes les femmes ne sont pas comme toi, et certaines sont bien trop faibles moralement pour affronter leurs bourreaux. Même si elles avaient les muscles nécessaires pour se défendre, elles ne le feraient pas. Elles sont détruites de l'intérieur.

— Finalement, tu m'as vraiment l'air d'une fille bien, toi, concéda la prostituée.

A cet instant, une autre voiture ralentit, et elle se remit en scène comme précédemment. Claudia pensa alors à ce qu'elle venait de lui dire… Au fond, elle aurait pu passer la journée à tenter de la convaincre de décrocher, à lui exposer les options qui s'offraient à elle, à part la prostitution, lui décrire les programmes de réinsertion que certaines associations mettaient en place. Or, ç'aurait été peine perdue, tant qu'à l'intérieur de la jeune femme, une petite voix n'aurait pas fait écho aux propos qu'elle lui tenait. La volonté de changer venait de soi-même, personne ne pouvait vous l'imposer, conclut Claudia.

Cette fois, l'auto s'arrêta au niveau de la fille et le conducteur baissa sa vitre, tandis que cette dernière se penchait pour lui parler, tout en rejetant sa longue chevelure rouge dans son dos. Claudia l'entendit soudain rire, un rire aguicheur qui lui fit froid dans le dos. Puis le conducteur lui ouvrit la portière, côté passager. Avant de monter dans la voiture, elle se retourna une ultime fois vers Claudia.

— Un conseil. Tiens-toi à l'écart d'Hector. Il est stupide et violent. Et complètement mesquin.

— Attends ! Qui est Hector ?

— Et ne reste pas sur mon coin de trottoir. Si mon souteneur passe par ici, il risque de ne pas apprécier !

— Mais qui est…

La porte claqua et la voiture démarra en trombe.

— … Hector ? termina Claudia dans un murmure.

A cet instant, une goutte de pluie vint s'écraser sur son front. Une autre sur le dos de sa main. Elle jeta un regard désespéré vers le ciel… La pluie ! Il ne manquait plus que cela !

Bon, il était temps de déguerpir ! décida-t-elle. Qui sait combien de temps Ethan allait rester dans ce fichu immeuble ? Bon, pensa-t-elle, pour trouver un taxi, elle devait se rapprocher du centre pour femmes battues. Mais quelle direction prendre ? Elle était un peu perdue dans le dédale de ruelles qui se ressemblaient. La pluie tombait de plus en plus fort. Elle décida de redescendre la rue en priant pour que les trois jeunes adolescents ne soient plus là…

Hélas, ils n'avaient pas disparu. Ils étaient même quatre, à présent. Claudia décida alors de changer de trottoir… où elle se heurta à un autre groupe de jeunes gens qui lui barrèrent le chemin. Ils étaient trois — décidément, ce devait être un chiffre symbolique — et portaient eux aussi le même uniforme gangsta rap : pantalons baggy et vestes rouge et noire.

— Salut, bébé. Tu vas quelque part ? demanda l'un d'eux.

Claudia remit la main dans son sac, cherchant à tâtons sa mini bombe lacrymogène. A cet instant, une main de fer enserra son poignet. Un quatrième homme avait surgi par-derrière.

— Qu'est-ce tu cherches dans ton sac, ma jolie ?

Elle tenta de se dégager, mais l'homme qui la tenait fermement se mit à rire.

— Lâchez-moi, lui ordonna-t-elle sans pouvoir saisir sa mini bombe.

— Tu es bien insolente, ma poupée. Cool... Tu ne veux tout de même pas que l'on pense du mal de toi ?

— Je me fiche de ce que vous pensez ! Lâchez-moi, répéta Claudia.

— Tu entends, ça, Hector ? Elle s'en fiche !

Les autres formaient un cercle autour d'elle. L'un d'entre eux secoua la tête et déclara :

— Hector est toujours très peiné quand les femmes ne sont pas sympas avec lui.

— Et tu ne voudrais pas faire de la peine à Hector, n'est-ce pas ? enchaîna un autre larron.

Le cœur de Claudia cognait à tout rompre dans sa poitrine, des sueurs froides lui coulaient dans le dos...

— Allons, les gars, vous voyez pas que vous faites peur à cette petite chose ? intervint le quatrième garçon qui était resté muet jusque-là.

Il devait avoir une vingtaine d'années, ses cheveux étaient décolorés à l'eau oxygénée et son regard étrange : ses pupilles étaient anormalement dilatées.

— Allons, trésor, poursuivit-il, on veut juste te demander quelque chose. Mon pote Jason prétend que si une riche comme toi vient traîner dans le quartier, c'est pour s'encanailler. Moi, je n'en suis pas aussi sûre que lui. Eh bien, dis-nous qui a raison.

Elle les dévisagea l'un après l'autre. Tous lui souriaient crânement. Ils étaient tous aussi désœuvrés les uns que les autres et avaient enfin trouvé une occasion de tuer le temps. La pluie qui avait redoublé ne paraissait absolument pas les déranger.

Déglutissant avec difficulté, Claudia s'efforça de dominer sa peur, se rappelant qu'il fallait toujours tenter de faire parler ses éventuels agresseurs afin de leur montrer qu'on ne les craignait pas.

— Es-tu… Est-ce toi, Hector ? J'ai entendu parler de toi.

Bon sang, pourquoi fallait-il que sa voix chevrote de cette façon ? pensa-t-elle, furieuse contre elle-même. Et non moins furibonde contre l'homme qui tenait toujours son poignet et le caressait doucement à l'endroit où battait son pouls.

— Ça alors, tu me connais ? Eh, les gars, cette poule de luxe me connaît ! Je serais donc célèbre sans le savoir. Est-ce à moi que tu fais l'honneur de ta visite ?

Ce disant, il rapprocha son visage de celui de Claudia, large sourire à l'appui… Un sourire carnassier qui glaça la jeune femme.

— Non, les hommes qui ne savent pas exister en dehors de leur bande ne m'intéressent pas ! répliqua-t-elle en relevant le menton.

Immédiatement, elle regretta ses propos. Seigneur, pourquoi l'avait-elle provoqué ? Elle n'était vraiment pas en position de fanfaronner. Décidément, chasser le naturel, il revient au galop, se dit-elle, de nouveau énervée contre elle-même.

Comment cette histoire allait-elle finir ? Quel désastre ! Sans parler de la pluie qui s'était transformée en un rideau gris ! Elle était complètement trempée. Encore que si elle s'en sortait avec un simple rhume, elle pourrait s'estimer heureuse. Et pourquoi Ethan ne ressortait-il pas de ce fichu immeuble ? Pourvu qu'il ne lui soit rien arrivé ! pensa-t-elle brusquement.

— Pour te prouver que tu as raison, répondit Hector dans un sourire mauvais, je vais te laisser choisir celui qui te plaît le plus parmi mes potes. Rassure-toi, ce sera chacun son tour.

A cet instant, il la lâcha et la repoussa brutalement vers l'un de ses compagnons. Qui la rejeta de la même façon vers un troisième… Telle une toupie, Claudia était à présent ballottée entre les quatre gaillards, et commençait à avoir le vertige. Mais comment se défendre seule contre quatre hommes bien résolus à l'humilier ? Une colère grandissante grondait en elle devant sa propre impuissance. Elle…

— Lâchez-la !

A ces mots, les mains qui l'agrippaient lâchèrent brutalement Claudia. Elle chancela, puis finit par retrouver son équilibre. Le monde tournoya encore un peu autour d'elle, et finit par s'immobiliser…

Ethan se tenait à deux mètres du petit groupe, jambes légèrement écartées. Il portait un grand imperméable noir, dégoulinant de pluie, et tenait une canne à la main. Son immense silhouette était fort impressionnante, mais son expression l'était encore davantage. Il paraissait extrêmement en colère.

— Eh, mec, on plaisantait juste. Y a pas mort d'homme, commença Jason.

— Viens là, Claudia ! ordonna Ethan d'un ton sec.

Oh, quelle bonne idée ! pensa cette dernière. Hélas, au moment où elle voulut s'élancer vers lui, Hector la saisit de nouveau par le bras au passage, et l'attirer contre lui.

— Désolé, mon vieux, mais nous l'avons trouvée les premiers, déclara-t-il à Ethan. Elle est à nous.

— Tu te trompes, elle est à moi ! renchérit Ethan. Et je te conseille de la laisser partir. *Tout de suite !*

— Tu crois que tu m'impressionnes ? ironisa Hector. Tu es peut-être grand et baraqué, mais tu oublies que nous sommes quatre contre toi.

A cet instant, les événements s'enchaînèrent comme dans un film en accéléré. Ethan brandit sa canne et frappa Hector à la tête. Non sans pousser un juron, ce dernier lâcha Claudia, qui voulut se précipiter aux côtés d'Ethan, mais une fois encore, en fut empêchée par une autre main de fer. Ah non ! Elle en avait assez de servir de balle de ping-pong ! Elle tenta alors de donner un coup de pied bien placé à son agresseur, lorsque soudain, une lame de couteau brilla sous la pluie — ce qui n'impressionna nullement Ethan. D'un coup de canne, il fit voler l'arme blanche dans les airs.

Et brusquement il se déchaîna.

A l'aide de son bâton, il se mit à frapper ses adversaires avec une violence inouïe. Les forces d'Ethan étaient comme décuplées, on aurait dit qu'il possédait dix cannes, ou bien dix mains, qu'il était animé d'une force surnaturelle. Les coups pleuvaient incessamment sur les têtes, les genoux, les côtes des quatre voyous.

— Va-t-en ! hurla Ethan à Claudia. Cours !

Sans demander son reste, elle s'éloigna vivement du champ de bataille. Au bout d'une centaine de mètres, elle se retourna, tout essoufflée. Sur les quatre hommes, trois étaient à terre, seul Hector tenait encore debout, mais il ne paraissait pas en grande forme. Il se contentait à présent d'insulter copieusement Ethan qui lui ordonnait de se taire s'il ne voulait pas rejoindre ses camarades dans le caniveau.

— Ethan, suppliait Claudia, partons, je t'en supplie.

— Voici les clés de la Buick, lui dit-il en les lançant dans sa direction. Monte dedans et démarre !

Ce disant, il ne lâchait pas un instant des yeux ses adversaires.

Sans chercher à discuter, Claudia obtempéra. Ses mains tremblant affreusement, elle mit un temps fou à introduire la clé dans la serrure. Une fois qu'elle fut montée dans la Buick, elle dut s'y prendre à plusieurs reprises pour démarrer… Enfin, le moteur vrombit, et passant fermement la marche arrière, elle recula en appuyant à fond sur l'accélérateur.

Lorsqu'elle arriva à sa hauteur, Ethan sauta dans la Buick sans prendre le temps de la contourner. La portière claqua violemment derrière lui, la canne vola vers la banquette arrière. Quant à Claudia, elle se glissa vivement sur le siège passager.

— Ferme ta porte à clé, lui ordonna-t-il.

Les quatre délinquants s'étaient à présent relevés et s'avançaient menaçants vers la Buick, Hector ayant ramassé son couteau et le pointant vers eux en jurant, le visage déformé par la colère et la douleur.

Pas une minute à perdre !

Ethan démarra en trombe, en marche arrière, puis braqua violemment. Les pneus de la Buick grincèrent, il manqua accrocher une voiture garée sur le trottoir et rattrapa finalement une autre ruelle dans laquelle il s'engagea à toute allure. Le groupe déboula à l'angle de la rue en fulminant, furieux de les voir s'échapper définitivement, levant le poing.

Peine perdue !

Désormais, Ethan et Claudia étaient hors d'atteinte. Mais à quel prix…

Claudia resta un long moment silencieuse. Mais, peu à peu gagnée par un insidieux malaise et désireuse de briser le mutisme ambiant, elle se lança :

— C'était… Je veux dire, avec ce bâton… Enfin, je n'ai jamais vu ça, je…

— Tais-toi, Claudia ! lui ordonna Ethan d'une voix à la colère difficilement contenue, sans lui accorder le moindre regard.

Elle lui lança un coup d'œil oblique… Ses doigts étaient crispés sur le volant, il fixait inexorablement la chaussée, sourcils froncés, mâchoires serrées. De toute évidence, il n'était pas à prendre avec des pincettes !

Ce fut alors qu'elle se rappela une des anecdotes concernant Ethan que lui avait racontées Rick. Quelques années auparavant, au lycée, Ethan avait perdu le contrôle de lui-même et s'était bagarré comme un forcené contre trois autres garçons qui avaient terminé à l'hôpital.

Brusquement, un sentiment aigu de culpabilité la submergea.

A cause, d'elle, tous deux avaient risqué leur vie et Ethan aurait pu tuer l'un des assaillants, tant la rage qui l'animait était féroce. Mon Dieu, si un homme était mort par sa faute et qu'Ethan se fût retrouvé derrière les barreaux pour homicide, quelle horreur !

Confuse, perturbée, elle prit le parti de se taire et d'adopter un profil bas. Autant laisser passer l'orage… Si tant est qu'il passerait ! Elle redoutait en effet qu'Ethan ne la dépose devant chez elle et ne la pousse hors de sa voiture sans même lui dire au revoir. Or, au cours de cette bagarre, elle avait acquis une certitude : le détective Mallory lui plaisait définitivement !

8.

Ses oreilles bourdonnaient. Ses mains étaient fermement agrippées au volant. Qui sait ? S'il le tenait suffisamment fort, il parviendrait peut-être à contenir le tremblement qui secouait tout son être.

Il n'avait pas éprouvé une telle colère depuis l'âge de seize ans. Ou une si grande frayeur, même si, à l'époque, la peur avait surgi *après* la bagarre, lorsqu'il attendait le diagnostic des médecins sur l'état de santé de Robert Parkington, à l'hôpital, et se demandait quel sort lui serait réservé : allait-on l'arrêter pour homicide ?

Il avait vécu là les heures les plus traumatisantes de sa vie, et depuis, ce cauchemar le hantait de façon récurrente, il n'était jamais parvenu à l'oublier entièrement : ni les images de la bagarre, ni ce qu'il avait ensuite ressenti.

Il se rappelait encore le son mat des coups donnés et le bruit glaçant du crâne de Robert heurtant la grille en fer. A cet instant, il avait compris que la bagarre avait dégénéré, qu'il avait perdu le contrôle de lui-même et peut-être même commis le pire…

Quelques secondes plus tard, l'un des amis de Robert, sous-estimant la gravité de la situation, s'était rué sur Ethan au lieu de porter secours au blessé. Ethan s'était alors défendu comme un beau diable et l'avait lui aussi envoyé au tapis, animé par une force inouïe, dont il ne se serait jamais cru capable, d'autant que son adversaire était bien plus massif que lui !

Puis, dans un éclair de lucidité, il s'était précipité vers Robert Parkington qui gisait à terre, près de la grille, assommé. Certes, Parkington était un imbécile, doublé d'un lâche, mais au fond, il n'avait fait de mal à personne. Il n'avait pas mérité d'être frappé si durement. Frappé au point de se retrouver entre la vie et la mort. Ce n'était pas un criminel à l'instar des individus qui avaient assassiné les parents d'Ethan, quelques années plus tôt. Ou encore les vauriens qui avaient agressé Claudia, aujourd'hui.

« Utilise tes nerfs, n'en perds pas le contrôle », tel était l'enseignement que son professeur de judo lui avait transmis, lorsque, après l'incident du lycée, Ethan avait décidé de s'en remettre aux arts martiaux pour apprendre à se dominer. La colère était une force, comme l'électricité ou la gravité. Correctement canalisée, elle pouvait être bénéfique ; incontrôlée, elle menait à la destruction.

Aujourd'hui, il en avait fait bon usage.

Il avait laissé la fureur affluer en lui, se distiller dans ses veines, sans lui permettre pour autant de prendre le contrôle de lui-même. Il n'avait pas commis plus de dégâts que nécessaire pour sauver Claudia. Néanmoins, quand il repensait à la pâleur du visage de la jeune femme, à la peur qui dévorait ses grands yeux bleus, il se demandait encore comment il avait pu s'en tenir au strict minimum avec les délinquants qui avaient assailli sa douce partenaire.

Bon sang ! Fallait-il être pathétiques et intellectuellement démunis pour tourmenter une femme de cette façon ! A cette pensée, la haine le submergeait : il avait envie de faire demi-tour, de rattraper la bande de lâches et de les frapper de nouveau — encore plus violemment — pour qu'ils ne s'en sortent pas indemnes ! Il n'osait pas songer au sort que réservaient ces vautours à leur proie s'il n'était pas intervenu en temps opportun.

— Pourquoi ne dis-tu rien ? demanda-t-il brusquement, désireux de s'arracher à ses propres pensées.

— Je te rappelle que tu m'as ordonné de me taire…

— Et depuis quand fais-tu ce que l'on te demande de faire ?

Franchement, ce n'était pas le moment idéal pour se découvrir un talent en matière de docilité ! pensa Ethan. Il avait besoin que Claudia parle, qu'elle lui tienne des propos agaçants qu'il se serait fait un malin plaisir de contredire afin de laisser libre cours à sa colère — verbalement, cette fois — et de se délivrer du poids intérieur qui l'étouffait.

— Pourrais-tu monter le chauffage ? demanda timidement Claudia. J'ai froid.

Pour la première fois depuis qu'il s'était engouffré à la hâte dans la Buick, il la regarda... Jambes et bras croisés, cheveux et vêtements trempés, Claudia grelottait.

Quel idiot ! Non seulement il était violent, mais il se comportait comme un mufle complet ! Sa quantité d'adrénaline à lui pouvait peut-être lui tenir chaud pour une année entière, mais Claudia, non ! Elle était en état de choc.

S'exécutant promptement, il mit le chauffage à fond, puis demanda d'une voix rauque :

— Es-tu blessée ?

— Quelques hématomes, je suppose, rien de bien grave. Je suis un peu retournée, c'est tout.

Là-dessus, elle tendit les mains pour vérifier si elles tremblaient... Dépitée, elle les laissa retomber car elle était incapable d'en contrôler les tremblements. Poussant un soupir, elle ajouta :

— Je suis désolée, Ethan, je me suis comportée comme une idiote. Je conçois que la bagarre dans laquelle je t'ai entraînée t'ait complètement bouleversé. Je sais, par Rick, ce qui s'était passé quand tu étais encore au lycée...

— Comment ? s'étrangla Ethan. De quel droit Rick a-t-il évoqué devant toi cet épisode de ma vie ?

Sans répondre, Claudia poursuivit :

— L'incident d'aujourd'hui n'avait rien à voir, tu sais. Evidemment, dans les deux cas, il s'agissait d'autodéfense et tu devais faire face seul à plusieurs adversaires, mais...

— Rick t'a-t-il précisé que Robert Parkington a failli y laisser la vie ? demanda-t-il brutalement, comme s'il cherchait à se faire du mal. Que je lui ai cassé la mâchoire et que je l'ai envoyé se cogner contre une grille en fer — ce qui lui a valu une fracture du crâne ?

— Oui, il m'a tout raconté. Tu as dû être terrifié.

Décidément, elle refusait de comprendre ! D'un ton dérisoire, il reprit :

— Terrifié ? J'étais dans une rage monstrueuse, oui !

— La colère n'est rien d'autre qu'une manifestation de la peur, observa Claudia.

— Tu ne sais pas de quoi tu parles ! trancha froidement Ethan.

— La peur et la colère sont juste les deux faces d'une même médaille, poursuivit Claudia imperturbable.

Mais Ethan ne l'écoutait plus. Il était replongé dans les souvenirs traumatisants de la bagarre, au lycée... Deux types le maintenaient fermement par les bras, tandis que Parkington le rouait de coups. D'abord dans l'estomac, puis au visage. Sans oublier les injures qui pleuvaient.

Mu par une force quasi surnaturelle, Ethan s'était subitement dégagé de l'étau des quatre bras qui l'avaient jusque-là maintenu et alors...

— Rick m'a dit que le groupe s'en était pris à l'un de tes amis, continuait Claudia. Un garçon assez frêle, qui n'était pas en mesure de se défendre, et que tu as alors volé à son secours.

— C'étaient des types qui cherchaient à en découdre, observa Ethan d'un ton morose. Alors je me suis dit que j'allais leur donner une bonne correction. Quelle présomption !

— Pourquoi ? C'était plutôt honorable de vouloir défendre plus faible que soi. Evidemment, il aurait fallu que tu saches t'arrêter à temps.

— Bonne remarque ! dit Ethan avec une ironie appuyée.

Hélas ! Ce jour-là il avait compris combien la violence pouvait être fascinante. Il avait pris goût à la bagarre au point qu'une sorte d'ivresse s'était alors emparée de son être, comme un poison violent qui se serait peu à peu répandu dans ses veines. Brusquement, il s'était senti invincible, capable de battre toute une armée, alors trois ridicules adversaires… !

— Le problème, ajouta-t-il alors, c'est que j'éprouvais du plaisir à me battre.

— Je ne peux pas dire que je te comprends, car je n'ai jamais vécu une telle expérience, mais visiblement, de nombreux adolescents aiment la bagarre. Aujourd'hui, en revanche, je sais que tu n'as pas été ravi de te bagarrer — même si tu es très doué pour ça, ajouta-t-elle en souriant, désireuse de détendre un tant soit peu l'atmosphère.

Ethan fronça les sourcils. Ce qu'il ressentait au plus profond de son être était bien plus compliqué que le dilemme entre aimer ou non se bagarrer.

— Deux mois après que Parkington fut sorti de l'hôpital, déclara Ethan d'une voix grave, j'ai appris qu'il devait suivre des séances de kinésithérapie, car il avait perdu l'usage partiel de son bras gauche, en raison de la pression qu'avait subi son cerveau suite à la fracture. Cette nouvelle m'ébranla considérablement. Je ne parvenais pas à admettre que ma violence ait pu être aussi préjudiciable à autrui. En outre, je craignais de récidiver, un jour. Mon oncle m'encouragea alors à suivre des cours de judo.

— Quelle drôle d'idée pour résoudre un conflit émotionnel !

— Au contraire, c'était la meilleure solution ! Apprendre à se défendre sans menacer la vie de l'adversaire.

— Effectivement, on peut voir les choses de cette façon, répondit Claudia. Est-ce là que tu as appris à te battre avec une canne ?

— Entre autres. Mais il s'agissait surtout d'acquérir une certaine discipline.

Il fallait apprendre à se bagarrer avec le cerveau — et non sous le coup de la colère. Apprendre aussi à éviter les bagarres et, quand la confrontation devenait inévitable, à la gérer le plus rapidement possible, en déployant la force nécessaire, pas davantage !

Apprendre à se faire de nouveau confiance, tel était le maître mot, en somme.

— Je crois que ton oncle me plairait, observa subitement Claudia, songeuse. Est-ce indiscret de te demander si Parkington a retrouvé l'usage de son bras ?

— Je crois qu'il n'a gardé aucune séquelle.

Lorsque Ethan avait commencé à travailler à temps partiel sous l'égide de son oncle Thomas et à faire ses preuves dans le métier de détective privé, il avait entrepris une filature toute personnelle… Il s'était mis en effet à surveiller Parkington et, d'après ce qu'il avait vu de la vie que ce dernier menait, il pouvait en conclure qu'il se resservait normalement de son bras.

— J'en suis ravie, répondit Claudia.

Soudain, Ethan leva les sourcils, déconcerté. Que s'était-il passé exactement ? Ses mains s'étaient détendues, elles n'étaient plus agrippées presque convulsivement au volant, comme tout à l'heure. En outre, la tension qui nouait ses épaules avait disparu comme par enchantement, tout comme son tremblement intérieur… Curieusement, il ressentait presque une impression de bien-être, comme s'il était consumé par une énergie positive.

Etait-ce la présence de Claudia ? Etait-ce elle qui suscitait en lui cette énergie qui, en réalité, n'était peut-être qu'une forme d'excitation ? A moins que ce ne fût le fait de s'être bagarré. Après une montée d'adrénaline, quoi de plus normal que d'éprouver une certaine sérénité…

Toujours est-il que sa colère avait disparu.

Envolée, évaporée. Et soudain, la lucidité reprit ses droits : comment avait-il pu accepter d'évoquer avec Claudia le traumatisme de son adolescence ? Décidément, cette femme le poussait à toutes les extrêmes ! Mais on ne l'y reprendrait plus, désormais, il serait sur ses gardes.

Bah ! Le principal, à présent, n'était-il pas de savourer son calme retrouvé ? Certes, il avait toujours la ferme intention de lui faire la morale, car, tout de même, comment avait-elle pu s'aventurer dans un quartier si mal famé ? C'était de l'inconscience absolue !

Naturellement, à voir son teint pâle et ses cheveux en désordre, on déduisait aisément qu'elle avait compris son erreur et l'on pouvait espérer qu'elle ne recommencerait pas. Il n'empêche... Avec Claudia, rien n'étant jamais certain, il préférait mettre les points sur les i. Aussi, comme il s'engageait dans sa rue, Ethan décréta-t-il :

— Je t'accompagne jusqu'à ton appartement !

— Oh, dit-elle en lui adressant un sourire poli, ce n'est pas nécessaire, ne te donne pas cette peine.

— Et moi, je soutiens que c'est tout à fait nécessaire ! rétorqua Ethan avec fermeté.

La sérénité qu'il éprouvait lui conférait une extraordinaire confiance en lui.

— Non ! lui dit soudain cette dernière. Ne te gare pas ici.

— Inutile de protester, je t'accompagne.

— Mais il est interdit de se garer *ici* ! Tu risques la fourrière.

— Et alors ? rétorqua Ethan en faisait claquer sa portière. Ce ne serait pas la fin du monde.

9.

Claudia était sur des charbons ardents. Elle se sentait extrêmement nerveuse, prête à éclater en sanglots d'un moment à l'autre. En réalité, elle avait besoin d'être seule… Oui, une terrible envie de se retrouver seule la tenaillait.

Et voilà que cet entêté d'Ethan insistait pour la raccompagner jusque chez elle ! Naturellement, il n'allait pas manquer de lui faire la morale pour son initiative irréfléchie et malheureuse. N'était-ce pas précisément pour cette raison qu'il avait tellement tenu à la raccompagner ? S'il croyait qu'elle ne voyait pas clair dans son jeu ! Il était pourtant impératif qu'il ne s'attarde pas sinon… Sinon, elle allait finir par se jeter dans ses bras et verser toutes les larmes de son corps sur son épaule protectrice !

Cette image l'agaça suprêmement ! Bon, elle devait respirer à fond, calmement, la tempête allait passer et, dans quelques minutes, Ethan ressortirait de son appartement.

Elle introduisit la clé dans la serrure… Et fut satisfaite de constater qu'elle ne tremblait plus ! Allons, son cas n'était pas tout à fait désespéré, elle pouvait encore contrôler ses émotions, tout de même !

Ils entrèrent tous deux en silence dans l'appartement. Une fois qu'elle eut refermé la porte, elle se retourna brusquement vers lui et prit le taureau par les cornes — au lieu d'attendre qu'il ne fonde sur elle !

— Vas-y ! lança-t-elle. Dis-moi ce que tu as à me dire. Si tu te dépêches, je pourrai prendre une douche avant de me rendre à la réunion du conseil d'administration, cet après-midi. Et de ton côté, tu pourras récupérer ta voiture avant qu'elle n'aille en fourrière.

— Oublie ma voiture, veux-tu ? répliqua-t-il d'un ton peu amène, en commençant à faire les cent pas dans la pièce.

Et il lui déversa toute sa bile. Il lui fit la leçon sur son initiative complètement *insensée*, sur les risques *énormes* qu'elle avait encourus. Se rendait-elle seulement compte de ce qui aurait pu lui arriver s'il n'était pas intervenu à temps ? Tout en parlant, il lissait nerveusement ses cheveux et jetait un coup d'œil dubitatif à la causeuse blanche, chaque fois qu'il passait devant.

Cette causeuse en velours ras blanc — dont elle était si fière et qu'elle chérissait comme la prunelle de ses yeux — Claudia l'avait héritée de sa grand-mère. Elle l'avait fait recouvrir une fois — le blanc, c'était fragile —, et avait parcouru tout Boston pour dénicher un tissu en velours blanc, identique à l'original. Elle adorait se lover dedans pour lire. Elle pouvait y rester des heures à dévorer des romans ou des bandes dessinées…

Soudain, elle se rendit compte qu'Ethan était planté devant elle. Euh… Avait-elle manqué un épisode ?

— As-tu entendu un traître mot de ce que je t'ai dit ? demanda-t-il d'un ton contrarié.

— Excuse-moi, lui dit-elle. En général, je ne déteste pas une bonne dispute, mais en l'occurrence, j'en suis parfaitement incapable. Tu peux me dire tout ce que tu as sur le cœur, si cela te soulage, en revanche, tu ne peux pas me contraindre à t'écouter.

Là-dessus, elle lui adressa un beau sourire…

Alors, il se passa une chose extraordinaire. La tension qui animait les traits d'Ethan disparut d'un coup et un triste sourire barra son visage.

— Pourquoi, Claudia ? demanda-t-il d'une voix rauque en l'attirant doucement à lui.

Il était si fort, si solide. Il sentait le cuir et le tabac. Elle eut soudain des difficultés à respirer.

— Je te l'ai déjà dit. Parce que...

— Non, l'interrompit-il. Ce que je te demande, c'est pourquoi tu me souris de cette façon. Je suis désolé pour ce que tu viens de vivre, trésor, mais s'il te plaît, épargne-moi tes sourires polis. Tu es saine et sauve, et c'est ce qui m'importe le plus.

— J'ai eu si peur, dit-elle en s'agrippant subitement à lui. C'était horrible. Tout ce qu'ils voulaient, c'était me tourmenter. Même pas par haine, mais par dépit, parce qu'ils s'ennuyaient et que je passais par là. Je ne doute pas qu'ils aient des vies difficiles, mais je n'en suis tout de même pas responsable.

— Du calme, Claudia, lui dit-il gentiment en la serrant contre lui. Oublie-les ! Ils n'en valent pas la peine.

— Si ! Tout le monde en vaut la peine, même eux ! Mais je... Je...

— Pardonne-moi d'avoir été dur avec toi, Claudia. Je ne voulais pas te blesser, mais ce fut un tel choc de te découvrir à la merci de ces délinquants. Et tu as raison en ce qui concerne la colère et la peur... Je n'ai jamais eu si peur de ma vie que tout à l'heure — ce qui explique certainement ma fureur.

— J'étais terrorisée, s'écria-t-elle alors avant d'éclater en sanglots.

Claudia ne pleurait pas facilement. Peut-être était-ce un autre trait féminin qui lui faisait défaut. Néanmoins, lorsque cela lui arrivait, tout son corps était secoué par d'horribles sanglots, comme si le chagrin qu'elle avait accumulé en elle sortait d'un seul coup.

Ethan demeura silencieux, se contentant de caresser doucement sa chevelure... Il ne chercha pas à la raisonner, non, il la laissa tout simplement pleurer, vider son cœur de sa peur et de sa tristesse.

L'orage passa aussi vite qu'il était venu. Bientôt, Claudia cessa de sangloter et releva timidement les yeux vers lui.

— Te sens-tu mieux à présent ? lui demanda-t-il de sa belle voix râpeuse.

Elle hocha la tête en guise d'acquiescement. Puis, sur une impulsion, elle posa sa joue sur l'épaule d'Ethan. Ses épaules étaient si imposantes, si rassurantes. Et ses bras si musclés ! Sa poitrine était également merveilleuse. Bref, Ethan était un homme merveilleux.

— Claudia ?

— Oui ? dit-elle en tournant légèrement la tête, sans la redresser.

Comme Ethan sentait bon ! pensa-t-elle alors. Subitement, elle glissa ses mains sous son manteau noir. Mm, son T-shirt était tout chaud, empreint de la chaleur de son corps...

— Claudia, que fais-tu ? demanda-t-il d'un air amusé.

— A ton avis ? fit-elle en le regardant subitement droit dans les yeux, non sans nouer ses bras autour de son cou.

Ce faisant, leurs corps s'en trouvèrent plus intimement liés... et elle comprit bien vite qu'il n'était pas du tout insensible à sa manœuvre de séduction. Pourtant, posant soudain ses mains sur les hanches de Claudia, Ethan s'écarta légèrement d'elle et lui dit :

— Claudia, tu es bouleversée par l'épreuve que tu viens de subir. Je doute que tu aies les idées très claires.

— Oui, mon cerveau est certainement embrouillé, confirma-t-elle dans un sourire mutin.

— Allons, sois raisonnable. N'agis pas sur une impulsion que tu regretterais par la suite.

— Tu crois ? fit-elle en inclinant légèrement la tête. Je...

Elle n'eut pas le temps de finir sa phrase : la bouche d'Ethan bâillonna la sienne. Fermant les yeux, Claudia s'abandonna alors à la douceur de son baiser. Une douceur qui gagnait peu à peu tout son être, tandis que les mains d'Ethan couraient, avides et sensuelles, sur toutes les courbes de son corps.

— Enlève ta veste, lui murmura-t-il tout en tentant de la lui retirer.

— Toi aussi, enlève ce manteau ! Il me gêne, répondit-elle d'une voix lascive.

Docile, il tendit les bras en arrière et son manteau tomba à terre. Mais sa coopération s'arrêta là, car il avait d'autres idées en tête : la déshabiller elle !

Après sa veste, il lui retira promptement son pull, puis dégrafa son soutien-gorge… Prenant délicatement ses seins en coupe dans ses mains, il lui dit alors :

— J'ai tellement anticipé ce moment ! Tes seins sont si beaux. On dirait des poires à la chair douce et sucrée. J'ai besoin de les goûter de nouveau.

Et il n'attendit pas une seconde supplémentaire pour joindre le geste à la parole.

Ravie de l'initiative, Claudia rejeta la tête en arrière non sans glisser sa main dans les cheveux de son partenaire, non sans caresser doucement le contour de ses oreilles…

Soudain, Ethan se redressa et, la soulevant de terre, l'entraîna vers la causeuse, avant de venir se jucher sur elle. De nouveau, ils s'embrassèrent longuement, ardemment. Enfin, à bout de souffle, il détacha sa bouche de la sienne pour se mettre à titiller son oreille gauche…

D'exquis frissons la parcoururent… Electrisée par cette intimité excitante, Claudia introduisit ses doigts sous le ceinturon d'Ethan. Il frémit sensuellement, avant de glisser à son tour sa main entre les longues jambes de sa partenaire.

Cette fois, ce fut à elle de tressaillir…

A l'extérieur, la pluie continuait de tomber sans discontinuer. Qu'il était doux d'entendre son flic fac régulier de l'intérieur, alors que le velours de la causeuse, si moelleux et si confortable, vous caressait gentiment le dos… Claudia plongea une dernière fois ses grands yeux bleus dans le regard sombre de son partenaire. Et comprit qu'ils allaient commettre un acte irrévocable !

A cet instant, un doute l'assaillit. N'aurait-elle pas dû mettre un terme à tout cela avant que…

Avant que quoi, au juste ?

De toute façon, il y avait longtemps que la raison l'avait désertée. Forte de cette pensée, elle s'abandonna définitivement à l'empire des sens et ceintura, de ses jambes fuselées, les reins de l'homme à qui elle offrait son corps, consentante.

Pourquoi Ethan était-il encore habillé ? se demanda-t-elle subitement. Il avait dû se poser la même question, car sans même s'être concertés, ils remédièrent bien vite à cet inconvénient, à quatre mains…

Ce fut en poussant un grognement de plaisir qu'Ethan la pénétra. A son tour, un petit cri languide échappa à Claudia, comme elle enfonçait ses doigts dans l'épaisseur de sa courte chevelure.

— Tu es parfaite, chérie, lui murmura-t-il, fébrile. Tu as un corps fait pour l'amour.

Puis il se mit à chalouper lascivement au-dessus d'elle avant d'accélérer peu à peu le rythme de ses va-et-vient. Elle sentait le plaisir la gagner par ondes successives… L'odeur qui émanait de leurs corps la grisait, tout comme les coups de reins d'Ethan…

Et brusquement, le monde explosa en mille petits fragments précieux et la volupté la plus absolue la submergea… Quelques secondes plus tard, Ethan la rejoignait avant de laisser sa tête retomber sur l'épaule de sa partenaire, à bout de souffle.

Ils restèrent longtemps étroitement enlacés, l'un sur l'autre, à écouter mutuellement leurs battements de cœur. Puis Ethan releva la tête. Leurs regards se croisèrent et ils se sourirent sensuellement… Les mots étaient totalement superflus, ils s'en remettaient au langage du corps et des sens.

Sur un petit nuage, Claudia goûtait pleinement son bonheur, aussi lui fallut-il un certain temps pour que le cliquetis d'une clé qu'on introduit dans une serrure parvienne enfin à son cerveau. Bruit métallique bientôt suivi par le claquement d'une porte… et le timbre de voix familier de Stacy !

— Claudia, es-tu à la maison ? Je suis venue récupérer mes… Oooh !

Il y eut aussitôt des bruits de pas précipités et la porte claqua de nouveau.

Claudia leva les yeux vers Ethan et ne put s'empêcher d'éclater de rire devant son visage déconfit.

— C'était Stacy ! l'informa-t-elle. Tu ne l'avais jamais rencontrée, n'est-ce pas ?

— Je ne l'ai toujours pas rencontrée ! rectifia Ethan.

Puis il se leva promptement, en quête de son caleçon et de son jean qu'il enfila en un tournemain.

— Sois sans crainte, je ne crois pas que Stacy revienne à l'improviste ! fit Claudia avant de laisser de nouveau fuser un rire espiègle.

— Je ne trouve pas ça drôle du tout, Claudia ! la prévint-il. Et d'ailleurs, comment se fait-il que cette Stacy ait les clés de ton appartement ?

— Désolée, Ethan, fit Claudia en prenant un air faussement contrit. Allons, ne fais pas la tête, je t'assure qu'elle n'a pas dû voir grand-chose. Juste ta chute de reins, et encore ! Elle est ressortie si vite. Si tu avais pu voir ton visage, à ce moment-là !

Il hésita, ne sachant s'il devait lui aussi prendre le parti d'en rire. Il était vrai que la scène était fort cocasse. Et finalement, de tous, c'était la pauvre Stacy qui avait dû être la plus traumatisée.

— Je reconnais que ça aurait pu être pire, observa alors Ethan. Stacy est-elle la seule personne à disposer d'une clé de ton appartement ? Tu n'en aurais pas donné une à ton père ou ta mère, par hasard ?

— Là, je t'accorde que ce n'aurait pas été drôle ! répondit Claudia en agrafant son soutien-gorge.

Où était passé son slip ? se demanda-t-elle alors distraitement, avant de se rendre compte que ce dernier coiffait sa lampe Tiffany. S'en emparant d'un air détaché, elle poursuivit :

— Stacy habite l'appartement juste en face du mien et c'est ma meilleure amie. Quoi de plus logique qu'elle ait un double de clé ? Et d'ailleurs, c'est bien la première fois qu'elle en fait usage sans sonner ni frapper. Remarque, il se peut aussi que nous n'ayons rien entendu…

— Es-tu bien certaine qu'à part elle, personne n'en a ? Ton petit ami, par exemple ?

— Neil ? D'abord, ce n'est pas mon petit ami !

— A propos, vas-tu le mettre au courant, pour nous deux ? lui demanda soudain Ethan avec arrogance. Si tu ne veux pas t'en charger, donne-moi son numéro de téléphone et je l'appellerai.

— Ah non ! s'indigna-t-elle. Ne me parle pas sur ce ton, ou tu peux partir tout de suite, tu sais !

— Parfait ! répliqua-t-il piqué au vif en attrapant son manteau. C'est précisément ce que je m'apprêtais à faire.

Pourtant, au moment où il allait franchir le seuil, il se retourna une ultime fois, les traits tendus.

— En ce qui concerne ton petit ami, commença-t-il, sache que je ne chasse jamais sur le territoire d'autrui et que, de surcroît, je ne suis pas partageur !

Ces paroles eurent le don de la faire sortir de ses gonds. Pour l'amour du ciel, pour qui se prenait-il ?

— D'abord, nous ne sommes pas amants, et ensuite, je ne suis pas un territoire ! Encore moins une proie que l'on chasse !

— Ah bon, nous ne sommes pas amants ? reprit-il d'un ton à la fois défiant et blessé. Alors celle-là, c'est la meilleure.

En deux enjambées, Ethan rejoignait Claudia, saisit son visage entre ses mains et lui donna un baiser torride pour lui prouver l'absurdité de ce qu'elle venait d'affirmer avec une assurance insolente.

Lorsque, enfin, il détacha sa bouche de la sienne, Claudia était hors d'haleine, incapable de la moindre réaction.

— Redis-moi un peu que nous ne sommes pas amants, la défia-t-il alors.

— Ce que tu peux être soupe au lait, lui dit alors Claudia, les yeux rieurs. Je ne parlais pas de nous deux, mais de Neil et moi.

A ces mots, un grand sourire fendit le visage d'Ethan.

— Dans ces conditions, c'est parfait ! s'exclama-t-il. Il suffit que tu lui dises que tu ne peux plus le voir, parce que, maintenant, toi et moi, nous sommes amants.

— Maintenant... Tu veux dire, *temporairement*, n'est-ce pas ?

— Il est peu prématuré pour se jurer fidélité éternelle, non ? repartit-il. Je regrette, Claudia, j'aurais peut-être dû te prévenir avant...

Claudia ne s'offusqua nullement de son peu de romantisme. Cela faisait partie du personnage, pensa-t-elle tendrement. D'ailleurs, les promesses et les serments, elle non plus, elle n'en voulait plus.

— Je ne t'ai pas laissé le temps de me prévenir, observa-t-elle avec ironie.

— C'est vrai ! approuva-t-il avant d'enchaîner d'un air faussement accablé : Ah ! Qui aurait pensé qu'un jour j'aurais une liaison avec Mary Poppins ?

— Mary Poppins ? se récria-t-elle.

— Oui, tu as bien entendu ! Elle passait son temps à décider pour les autres, ne te souviens-tu plus de tes lectures d'enfant ?

Lui adressant un sourire malicieux, il baisa brièvement le bout de son nez, puis ajouta :

— Si tu te dépêches, tu seras peut-être à l'heure à ta réunion.

— Et, toi, si tu as de la chance, ta voiture ne sera pas encore partie pour la fourrière.

— J'espère ! lança-t-il jovialement.

Là-dessus, il referma la porte en entonnant l'*Ouverture 1812* de Tchaïkovsky. Ce qui laissa Claudia dubitative… Cette ouverture était un hymne triomphant à la défaite de Napoléon à Waterloo. Y avait-il entre eux un vainqueur et un perdant ? Elle n'en avait pas du tout l'impression ! Ou alors, Ethan se faisait de douces illusions, et c'était tant pis pour lui…

Un sourire songeur aux lèvres, elle se laissa mollement choir dans la causeuse.

Ethan arriva deux secondes trop tard, le temps de voir la remorque disparaître avec sa Buick. Claudia avait donc raison, pensa-t-il. Et ce prénom fit spontanément jaillir un sourire sur son visage. Un sourire qui ne quitta plus ses lèvres de l'après-midi en dépit de la contrariété occasionnée par l'enlèvement de sa Buick. D'ailleurs, même l'enquête qui piétinait n'eut pas raison de sa bonne humeur, c'était tout dire !

Les renseignements de Boots lui demeurèrent fort énigmatiques, jusqu'à ce qu'il comprenne qu'ils ne parlaient pas du même Norblusky ! Et il lui fallut rien moins que tout l'après-midi pour s'en rendre compte. En temps normal, il aurait été excédé d'avoir perdu tout ce temps en vain, mais en l'occurrence, il sourcilla à peine.

En fin d'après-midi, il rendit visite à son oncle Thomas. Ce dernier n'était pas à la maison — ainsi que le lui apprit tante Adèle —, mais dans le garage, en train de se livrer à son activité favorite : réaliser des maquettes de trains électriques qu'il plaçait toujours dans un savant décor, construit par ses soins. C'était pour se consacrer entièrement à son violon d'Ingres qu'il avait pris sa retraite. Alors qu'il s'approchait du garage, Ethan entendit un bruit de moteur. Une immense tendresse le submergea, puis il pénétra dans le royaume de Thomas.

A l'intérieur, il y avait une grande table, sur laquelle se trouvaient des maquettes — une locomotive et plusieurs wagons — au milieu d'un paysage urbain en papier mâché.

— Tiens, la pompe à essence, c'est nouveau ! observa Ethan.

— Je l'ai réalisée la semaine dernière, confirma son oncle en se redressant.

C'était un homme imposant, doté d'une chevelure grise qu'il cachait sous une casquette rouge. Sur le bout de son nez, il portait des lunettes en forme de demi-lune, qui semblaient toujours sur le point de tomber.

— Est-ce le seul changement que tu remarques ? interrogea Thomas d'un ton défiant.

Ethan se concentra…

— Tu sais, poursuivit son oncle, le métier de détective, c'est cinquante pour cent de transpiration et cinquante pour cent d'observation.

Thomas adorait se retrancher derrière la prérogative de l'âge avec son neveu. Et il était vrai que ce dernier lui reconnaissait volontiers ses talents de détective — même si ses lacunes en ce qui concernait la gestion d'une entreprise l'avait toujours empêché de s'affirmer réellement dans son domaine.

— Je donne ma langue au chat, finit par dire Ethan.

— C'était le seul changement ! déclara Thomas en éclatant de rire.

— Espèce de vieux renard rusé ! s'exclama Ethan.

— Allons, un peu de respect, jeune homme ! s'indigna son oncle pour la forme. Que dirait ta tante Adèle si elle t'entendait ?

— Que je ne devrais pas écouter à son insu ses conversations privées avec ses amies, rétorqua Ethan en riant. Tu ne savais pas que c'était le surnom qu'elle t'attribuait quand tu n'étais pas là ?

— Moi qui pensais que tu étais pour la paix des ménages ! Mais, trêve de plaisanterie, pourquoi viens-tu me rendre visite à cette heure-ci ? Ne me dis pas que c'est pour mes beaux yeux, je ne te croirai pas.

Là-dessus, son oncle le jaugea plus attentivement, puis ajouta :

— Toi, tu as couché avec une femme, cet après-midi !

— Cesse de prêcher le faux pour savoir le vrai ! s'exclama vivement Ethan. D'ailleurs, même si c'était le cas, cela ne se lirait pas sur mon visage.

— Et toi, cesse de me mentir ! rétorqua oncle Thomas. Je ne t'ai pas vu si décontracté depuis des mois. Soit tu viens de coucher avec une femme, soit tu es amoureux.

Non, son oncle ne savait rien, il ne pouvait rien savoir, il tentait seulement de le faire parler, voulut se rassurer Ethan. S'il croyait que lui, Ethan, allait mordre à l'hameçon comme un pctit bleu ! Sa vie intime ne regardait nullement Thomas et…

Tout à coup, Ethan sursauta en entendant son oncle préciser :

— Je parie que c'est cette Cecily Barone qui a allumé ce sourire sur ton visage.

— D'abord, elle ne s'appelle pas Cecily, mais Claudia… Et ensuite, qui t'a parlé d'elle ?

— C'est Rick, avoua sans problème son oncle.

— Décidément, quelle langue de vipère, celui-ci !

— Je présume que c'est un sujet sensible, vu la ressemblance avec Bianca.

— Claudia n'a rien à voir avec Bianca !

— Première nouvelle ! Il me semble pourtant qu'elle est riche et blonde comme ton ex. Et que sa famille ne t'apprécie guère.

— Comment peux-tu te permettre d'affirmer cela ? Sa famille ne me connaît même pas.

— Il me semble pourtant que tu enquêtes sur les Barone, non ? Cela constitue une bonne raison pour qu'ils se méfient de toi.

Evidemment ! Et surtout s'il trouvait des preuves susceptibles d'envoyer l'un d'entre eux — Derrick Barone, en l'occurrence — derrière les barreaux ! Logique implacable qui eut le don de l'exaspérer.

— Ecoute, commença patiemment Ethan, ce qu'il y a entre Claudia et moi ne regarde… que Claudia et moi. Je ne suis pas venu te voir pour que tu me donnes des conseils sur ma vie amoureuse, d'accord ?

— Oui, je m'en doute.

— J'ai du travail pour toi, annonça tout à trac Ethan.

— Du travail ? Mais j'ai suffisamment de quoi m'occuper avec mes maquettes, tu sais. Je ne m'ennuie pas du tout !

Il était fréquent qu'Ethan vienne demander des petits services à son oncle qui commençait par refuser, mais en réalité, se réjouissait de pouvoir être utile à son neveu et, ainsi, de rester dans le coup.

— J'ai besoin des services d'un vieil homme qui perd un peu la tête et qui saura contourner certaines règles.

— Rien de tel que quelques cheveux blancs pour endormir la méfiance de l'adversaire, et la sénilité excuse bien des comportements, enchaîna Thomas. Eh bien, qu'attends-tu de ton serviteur, cette fois ?

— Je recherche un certain Norblusky. Rick a interrogé sa sœur, ce matin. Il a l'intime conviction qu'elle sait où se cache son frère, mais il n'a rien pu obtenir d'elle.

— Cela ne m'étonne guère de lui ! Avec Rick, sans vouloir sous-estimer ses talents, on se sent tout de suite en présence d'un flic, alors forcément, ça peut bloquer les personnes qu'il interroge. En général, les gens n'aiment pas beaucoup se confier aux flics. Ils préfèrent les privés, c'est plus prestigieux ! Eh bien, dis-moi tout. Pourquoi faut-il que tu retrouves ce Norblusky ? Que fait sa sœur et pourquoi ce type se cache-t-il ?

Ce fut avec un soulagement réel qu'Ethan lui expliqua en quoi consistait son enquête. Il préférait mille fois lui parler de ses investigations plutôt que de sa relation avec Claudia ! Les deux hommes mirent alors au point un plan d'approche de la sœur qui, après la visite de Rick, serait vraisemblablement sur ses gardes.

— Rick pense que la sœur de Norblusky protège moins son frère qu'elle ne se protège elle-même, assura Ethan.

— Si tu veux mon avis, il y a des intérêts financiers en jeu ! Et dans ces conditions, ce n'est pas de moi dont tu as besoin, mais d'Ernie. Essaie de te procurer le numéro de sécurité sociale de la sœur et demande à Ernie de se renseigner sur son compte en banque. Les entrées d'argent devraient être révélatrices de son éventuelle complicité dans cette affaire.

Ernie était l'indicateur dont Ethan requérait de temps à autre les services. Ce dernier sourcilla et demanda, hésitant :

— Ne voudrais-tu pas t'en charger ?

— Comment ça ? Es-tu donc trop occupée à courtiser Claudia Barone pour gérer tes propres dossiers ?

— Le problème, c'est qu'elle me talonne ! Si je te disais ce qui s'est passé aujourd'hui... Bref, en réalité, elle enquête avec moi.

— Pardon ? La sœur de l'un de tes principaux suspects mène des investigations avec toi ? Rick y avait fait allusion, mais je ne l'avais pas cru. Visiblement, j'ai eu tort.

Difficile de se justifier ! Pour que son oncle comprenne, il aurait fallu qu'il fasse la connaissance de Claudia. Alors, il se serait rendu compte qu'il était quasi impossible de l'exclure de l'enquête. En outre, il se serait également aperçu que, moralement, elle ne ressemblait pas du tout à Bianca.

Certes, Claudia avait, comme cette dernière, une personnalité bien affirmée, mais elle n'était absolument pas égocentrique. Non, elle, l'une de ses passions, c'était les affaires des autres ! Résoudre leurs problèmes à leur place — ou selon elle, voler au secours de ceux qui en avaient besoin.

Ses passions...

Ethan retint un sourire. Comptait-il au nombre de ses passions ?

— Très bien, reprit son oncle, je consens à t'aider car j'ai l'impression que tu en as grand besoin. Tu m'as l'air bien atteint.

Atteint de quoi ? Ethan se dispensa d'interroger son oncle. De fait, il savait ce qu'il voulait dire ! Il lui donna des détails supplémentaires concernant l'enquête, puis, comme il était sur le point de prendre congé, oncle Thomas lui demanda :

— A propos, vas-tu à la fête que ta cousine Sophia organise pour l'anniversaire des jumeaux, samedi ?

— Je ne sais pas encore. Probablement.

Sophia avait des jumeaux qui soufflaient leur première bougie ce week-end. Ethan ne se rendait pas à toutes les fêtes familiales car, dans une fratrie aussi nombreuse que la sienne, il y avait toujours un anniversaire ou un autre événement à fêter. Mais, en l'occurrence, il s'agissait d'un premier anniversaire. Et qui plus est avec des jumeaux, cela risquait d'être amusant.

— Il faut que j'achète des cadeaux, poursuivit-il. Aurais-tu une petite idée de ce qui fait plaisir à des enfants d'un an ?

— Des maquettes, peut-être, suggéra oncle Thomas.

Et comme Ethan lui adressait un sourire à la fois ironique et sceptique, il ajouta en haussant les épaules :

— Demande à ta tante ! C'est son rayon. A propos... Pourquoi ne viendrais-tu pas en compagnie de Claudia ? A moins que ce ne soit pas sérieux, entre vous. Que ce soit encore l'une de ces tocades dont tu as le secret !

Ce disant, oncle Thomas jaugea son neveu par-dessus ses lunettes d'un air sévère.

— Tu exagères ! décréta Ethan sans répondre.

La suggestion le tentait. Néanmoins, comment Claudia interpréterait-elle son invitation ? Etait-ce raisonnable de lui faire subir tout un samedi après-midi des dizaines d'enfants qui courraient en tout sens en hurlant ? Sans parler de ses oncles qui ne manqueraient pas de lui poser des questions indiscrètes !

Pourtant, à peine rentré chez lui, ce soir-là, il décrocha son téléphone pour inviter Claudia à la fête. Décidément, son oncle méritait son surnom de vieux renard rusé. Quel manipulateur !

10.

— Besoin d'aide ? demanda Claudia en pénétrant dans sa cuisine, ce samedi-là.

Stacy avait la tête dans le freezer. Son nouveau réfrigérateur venant de lui être livré, elle récupérait les denrées périssables qu'elle avait placées chez Claudia.

— Non merci, répondit-elle. Tu as passé tant de temps au téléphone que j'ai presque terminé.

— Est-ce un reproche ? interrogea Claudia.

Puis, sans paraître en prendre ombrage ou attendre une réponse, elle laissait fuser un rire insouciant et s'assit à la table. Elle se mit alors à fouiller dans son sac à main.

— Cette boîte, est-ce à toi ou à moi ? demanda Stacy en brandissant une mystérieuse boîte enveloppée d'aluminium.

— A toi, je présume, je ne mets jamais d'alu au freezer ! répondit distraitement Claudia avant de reporter son attention sur le contenu de son sac.

Plantant ses mains sur ses hanches, Stacy demanda brusquement :

— Claudia, que se passe-t-il ?

— Rien. Pourquoi ? répondit celle-ci sur un ton détaché sans même relever les yeux.

— Claudia, ne mens pas, je te connais ! Dis-moi la vérité, s'il te plaît.

Devant cette injonction, Claudia haussa vaguement les épaules et répondit :

— Rien d'important, je t'assure. Bon... Emily vient de m'apprendre *incidemment* au téléphone qu'il y a une réunion familiale ce soir, chez oncle Carlo. A laquelle on ne m'a pas encore conviée, ce que je trouve curieux.

Et, si elle fouillait dans son sac, c'était précisément pour trouver son agenda et le numéro de téléphone de son oncle.

— Une réunion familiale ? Se passerait-il quelque chose de grave ?

— Grave, je ne crois pas. Apparemment, Derrick aurait une révélation importante à faire sur l'enquête relative à l'incendie.

— Et tu ne sais pas de quoi il s'agit ? Il ne t'a pas appelé pour t'en parler ?

— Non, il n'a même pas pris la peine de m'inviter, répondit Claudia avec amertume.

— Allons, reprit gentiment Stacy, ne prends pas la chose trop à cœur. Tu le connais, il veut faire son intéressant, marquer des points par rapport à toi.

— Oui, je sais, dit-elle, un rien irritée.

Il n'empêche... L'initiative de Derrick lui déplaisait fortement. Son frère pouvait parfois être si pénible ! Autrefois, elle appréciait sa compagnie, il avait été un grand frère adorable quand ils étaient enfants. Il lui avait appris à jouer au poker, à faire de la bicyclette, à se servir d'un ordinateur. Peut-être, pensa-t-elle tristement, le problème était-il qu'il n'avait plus rien à lui enseigner.

Bon, son agenda n'était pas dans son sac. Son bâton de rouge à lèvres, en revanche, si ! Lui aussi, elle l'avait cherché partout, ce matin, sans se rappeler qu'il était là !

Inutile de s'en mettre maintenant ! se dit-elle. Ethan allait l'embrasser en arrivant et le lui enlèverait. Il l'emmenait à une fête chez sa tante ! Cette perspective la fit sourire. Elle avait été touchée par son invitation.

— Derrick ne se remet toujours pas du fait de ne pas avoir été désigné par ta famille pour surveiller Ethan, déclara Stacy. Encore qu'à la réflexion, je ne sais pas si leur choix était bien judicieux.

— Et pourquoi ? demanda Claudia.

— Eh bien, je me demande s'ils ont eu raison de vous jeter dans les bras l'un de l'autre, Ethan et toi. C'est tout !

A ces mots, un sourire malicieux barra le visage de Claudia. Au fond, n'était-il pas amusant que Stacy fût davantage embarrassée qu'elle-même ou Ethan ne l'était par son intrusion accidentelle, lundi dernier ?

Incapable de résister à la tentation, Claudia demanda :

— Il a de belles fesses, tu ne trouves pas ?

— Désolée, je n'ai pas eu le temps de le remarquer, répondit rapidement Stacy. D'ailleurs, en parlant de temps… Ethan et toi en passez beaucoup trop ensemble, alors que vous vous connaissez depuis peu.

— Tu exagères ! Nous ne sommes pas toujours collés l'un à l'autre, tout de même. Ethan travaille sur d'autres cas, tu sais. Néanmoins, il est vrai que nous adorons être ensemble. Autant en profiter tant que ça dure ! Ah, le voilà enfin !

— Pardon ?

— Pas de panique, je parle de mon agenda !

— Tu m'inquiètes, Claudia, décréta subitement Stacy d'un ton sentencieux.

— Moi ? dit Claudia surprise, mais aussitôt distraite par une autre pensée : où diable avait-elle laissé son portable ?

— Oui, tu n'es plus toi-même. D'abord, cela ne te ressemble pas du tout de commencer une relation avec un homme avant d'avoir rompu avec le précédent.

— Entendons-nous bien ! D'abord, Neil et moi n'étions pas amants, tu le sais parfaitement, ensuite, il l'a très bien pris quand je l'ai mis au courant de la situation.

Un peu trop bien d'ailleurs, ajouta-t-elle en son for intérieur. Neil aurait tout de même pu montrer un peu de contrariété ! La preuve qu'elle aurait eu tort de se gêner pour lui ! En matière d'indifférence, il faisait fort !

— Soit, mais il n'y a pas que cela ! enchaîna Stacy d'un ton accusateur. Tu as oublié la réunion mensuelle avec les anciennes du lycée, la semaine dernière.

— Je t'ai déjà dit qu'Ethan et moi étions sur une piste dans le sud de Boston. J'ai téléphoné à tout le monde pour m'excuser.

— Et tu es bien certaine que tu n'as pas omis autre chose ?

A ces mots, Claudia sourcilla… et se figea.

Mon Dieu, elle avait oublié qu'elles devaient déjeuner ensemble, hier !

— Oh, Stacy, je suis réellement désolée ! Comment ai-je pu manquer notre rendez-vous ? Tu as raison, cela ne me ressemble pas. Je refuse d'être ce genre de femmes qui négligent leurs amies quand elles sont amoureuses.

— Amoureuses ? fit Stacy en sursautant. Ne me dis pas que tu es déjà amoureuse, tout de même !

— Non, bien sûr que non, mes mots ont dépassé ma pensée, dit vivement Claudia. Je suis vraiment navrée pour cet oubli. Tu sais à quel point tu comptes pour moi, Stacy. Tu le sais, n'est-ce pas ?

— Oui, dit cette dernière au bout de quelques secondes. Mais j'avoue que j'ai été blessée que tu m'oublies.

— Il est vrai que je suis distraite, ces derniers temps. Néanmoins, ce n'est pas uniquement à cause d'Ethan !

Mensonge ! lui murmura une petite voix. Et déjà son imagination repartait au galop… Elle repensa à la soirée d'hier, chez Ethan, au moment où, agenouillée devant lui, elle s'apprêtait à…

Assez ! Stacy, qui la connaissait bien, était capable de deviner ses pensées ! Aussi reprit-elle rapidement :

— T'ai-je dit qu'Ethan rénove son appartement, en ce moment ? Il possède un trois pièces dans un vieil immeuble en brique, dans le sud de Boston, et lorsque les travaux seront terminés, l'appartement sera vraiment chouette. Qui aurait pensé que cet homme avait du goût ?

— N'essaie pas de noyer le poisson en me vantant les mérites de ton Ethan, la prévint sévèrement Stacy. En réalité, je ne crois pas que tu sois distraite, non, tu me parais plutôt inquiète. Pourquoi ? A cause de Mallory ?

— Non, avoua Claudia de guerre lasse, à cause de Derrick. Je n'arrive pas à saisir ce qui cloche, mais j'ai la sensation que mon frère me cache quelque chose.

— Il est vrai que Derrick a le don de créer des problèmes ou de susciter le malaise.

— J'ai toujours cru qu'il était le vilain petit canard de la famille, et qu'il attendait de trouver sa voie pour pouvoir être en paix avec le monde et lui-même. Mais à son âge, il en est toujours au même point. Certes, la compétition est rude au sein de la famille, mais tout de même. Il ne se distingue dans aucun domaine. Il n'est ni sportif comme Alex, n'a pas le brio de Joseph, ni le charme de Nicholas. Il n'est bon nulle part. Et cela le frustre énormément, car au fond, c'est un ambitieux.

— Je constate que tu peux faire preuve de discernement quand tu le veux, observa Stacy non sans ironie. Et que la situation est déjà assez compliquée sans que tu en rajoutes encore en sortant avec un homme comme Ethan !

— Je ne vois pas où est le problème, s'exclama Claudia en parcourant la cuisine des yeux, toujours à la recherche de son portable. Je passe du bon temps avec lui, il n'y a rien de tel que les plaisirs de la chair pour oublier ses tracas.

— Les plaisirs de la chair, dis-tu ? Et depuis quand envisages-tu une relation sous ce seul aspect ?

— Je n'ai pas dit qu'il s'agissait uniquement de cela entre Ethan et moi ! répondit Claudia agacée.

— Et de quoi d'autre pourrait-il être question si, dès le début, vous vous êtes mis d'accord sur le caractère temporaire de cette relation ?

— Tu m'ennuies, décréta Claudia. De nos jours, toute relation entre un homme et une femme ne débouche pas forcément sur un mariage ! A quel siècle vis-tu, ma chère Stacy ? Non, franchement, tu donnes trop d'importance à ma relation avec Ethan.

Là-dessus, elle se rendit dans le séjour, toujours en quête de son portable, Stacy à sa suite.

— En général, le côté éphémère d'une relation ne t'intéresse pas, observa Stacy. Et je sais de quoi je parle ! Regarde depuis combien de temps nous nous connaissons !

— Rien n'exclut qu'Ethan et moi ne restions amis après avoir rompu.

Elle se sentait si bien en sa présence, si vivante ! Il lui offrait à la fois une complicité intellectuelle et des sensations vertigineuses. Nul doute qu'ils pourraient encore s'entendre même quand le vertige aurait disparu… Mais pour l'instant, elle refusait de penser à cela.

Brusquement, la sonnette retentit.

— C'est Ethan ! s'écria joyeusement Claudia.

— Ethan ? fit Stacy, affolée car elle ne tenait absolument pas à le rencontrer. Tu dois te tromper. Ne m'as-tu pas dit qu'il devait arriver à 16 heures ?

— Je t'ai menti, admit malicieusement Claudia. Je voulais que tu le rencontres.

— Hors de question ! Je resterai dans la cuisine tant que vous ne serez pas partis.

— Arrête, c'est ridicule ! répondit Claudia en éclatant de rire. Allez, viens.

Là-dessus, elle attrapa son amie par le bras et poursuivit :

— Courage ! Il n'est jamais bon de fuir. Qui plus est, je suis certaine que tu cesseras de te faire du souci pour moi quand tu auras fait sa connaissance. Au pire, tu auras une autre image de lui quand tu me mettras en garde. Tu verras, c'est un type bien, il va te plaire !

— C'est trop gênant, après ce qui s'est passé, je ne pourrai jamais le regarder dans les yeux, protesta Sally.

— Dois-je le prier de te tourner le dos car c'est une partie de lui que tu connais bien ? Allez, relax !

Ce disant, elle regarda par le judas. Ethan attendait patiemment sur le seuil. Il portait une chemise jaune éclatant qui seyait parfaitement à son teint et ensoleillait cette journée de novembre. Le cœur de Claudia se mit à battre la chamade : il était clair que cet homme détenait le merveilleux pouvoir de la rendre heureuse. Elle lui ouvrit enfin la porte.

— Bonjour, dit-il gentiment avant de déposer un bref baiser sur sa bouche.

Bien trop bref pour Claudia qui eut à peine le temps de goûter ses lèvres. Néanmoins, il aurait été fort peu charitable d'échanger un baiser ardent devant Stacy, pensa-t-elle en retenant une envie de rire.

— Entre, lui dit-elle en souriant. Je vais te présenter quelqu'un.

S'écartant pour le laisser passer, elle ajouta :

— Voici Stacy, que tu n'as pas réellement vue la dernière fois, même si vous vous êtes plus ou moins croisés.

— Quelle façon délicieuse de résumer la situation ! s'exclama Ethan, un sourire à la fois charmant et contrit aux lèvres. Stacy, oublions cette première rencontre manquée et repartons de zéro, voulez-vous ?

— C'est encore pire que je ne le croyais, décréta subitement Stacy, le visage fermé, à l'adresse de Claudia.

— Bien, enchaîna celle-ci d'un ton détaché. Je vous laisse faire connaissance, j'ai une série de coups de fil à donner. Ethan, il m'est venu une idée géniale ! Je t'en parlerai tout à l'heure, dans la voiture.

— Penses-tu sérieusement pouvoir mettre un terme à une querelle qui date d'avant ta naissance en invitant les Conti chez ta tante, ce soir ? demanda Ethan comme il s'engageait dans la rue où habitait sa cousine Sophia. A mon avis, tu joues avec le feu. Ta famille risque de ne pas apprécier la surprise.

— Allons, il ne faut pas exagérer, j'en ai informé tante Moira.

— J'espère bien, c'était tout de même la moindre des choses ! Et ne prétends pas qu'elle a sauté de joie en apprenant que vous alliez discuter d'un problème familial en présence de la famille ennemie !

— Je ne dis pas qu'elle ait manifesté une grande joie, mais comme les Conti étaient déjà invités, elle ne pouvait plus faire machine arrière.

— C'est ce qu'on appelle mettre les gens devant le fait accompli. Tu es satisfaite de toi, je présume ?

— Oui, et de toi aussi ! C'est très aimable de ta part d'avoir plaidé ma cause auprès de Sal Conti. J'espère seulement qu'il ne fera pas de zèle et ne persuadera pas Lucia Conti de nous honorer de sa présence, ce soir !

Ethan lui lança un regard mi-amusé, mi-inquiet.

— Je sens qu'il va y avoir des étincelles, chez ta tante Moira, prédit-il. Nous voici arrivés chez Sophia. Première étape !

A cet instant, il fut troublé par une étrange sensation. Pourquoi avait-il laissé son oncle le manipuler à ce point ? Claudia ne cadrerait pas du tout dans le décor ! Elle allait se sentir mal à l'aise — ainsi que tout le reste de la famille Mallory.

A peine la voiture garée, Claudia en descendit prestement, comme à son habitude. Il en sortit moins vivement, redoutant la rencontre. De l'endroit où ils étaient garés, il entendait déjà les bruits de fête : les cris des enfants, des airs d'opéra… Sa cousine Sophia adorait l'opéra !

Courage !

Il leva les yeux vers le ciel. Il était dégagé, et le soleil brillait de tous ses feux, même si l'air restait vif. Dans la lumière claire de l'après-midi, la chevelure de Claudia brillait comme de l'or pur. Ses yeux scintillaient eux aussi lorsque, se tournant vers lui, elle déclara :

— La circulation était fluide aujourd'hui, nous sommes à l'heure.

A ces mots, la gorge d'Ethan se noua. Une forte émotion le submergea brusquement, une émotion qu'il fut d'abord incapable de caractériser… Et soudain, il comprit !

Il était amoureux de Claudia.

Passé ce moment de lucidité, une bouffée de panique l'envahit. Etait-il réellement amoureux ? Non, il ne devait pas se livrer à des conclusions hâtives, même s'il redoutait déjà le jour fatal où Claudia le quitterait.

Car, à part la passion physique, qu'avaient-ils en commun, tous les deux ? Ils venaient de mondes si différents ! Et même s'ils auraient pu s'en accommoder, il n'en restait pas moins qu'il était en train d'accumuler des charges contre son frère. Bon sang ! Il ne pouvait pas s'attendre à ce que Claudia l'encourage à faire arrêter son frère !

Néanmoins, si ce n'était pas de l'amour qu'il éprouvait envers Claudia, alors qu'est-ce que c'était ? Ah, inutile de se torturer l'esprit ! Il possédait au moins une certitude : Claudia lui plaisait et il la désirait. Il espérait ardemment que leur relation durerait aussi longtemps que possible.

Il aimait la façon dont elle s'investissait dans tout ce qu'elle entreprenait, et cette manie touchante qu'elle avait de s'occuper systématiquement des affaires d'autrui. Il savait que cela partait d'un bon sentiment, et c'est pourquoi il en était aussi ému.

Il appréciait également son sens de l'humour, ainsi que sa loyauté envers sa famille. Il repensait souvent à cette matinée où elle avait déboulé à l'agence, débordante d'énergie et bien résolue à mener l'enquête à sa place. Désormais, il refusait de penser à ce que serait sa vie sans elle.

Il ne voulait pas la perdre !

— Ethan ? Que se passe-t-il ? l'interpella Claudia. Tu fais une drôle de tête. On dirait que tu as avalé une couleuvre !

— Ecoute, dit-il brusquement, peut-être que ce n'était pas une si bonne idée.

— De quoi parles-tu ?

— Cette fête ! J'ai peur que tu t'ennuies car tu ne connais personne. Et puis mes oncles sont parfois si pénibles. Notamment Harold. Il insupporte toute la famille. Quant aux enfants… Tu peux compter sur eux pour renverser du jus de fruits sur ton beau pull rose.

— C'est du coton, ça partira en machine ! Et si au lieu de chercher des prétextes fallacieux, tu me disais plutôt ce qui te chagrine réellement ? Crains-tu que le fait que nous nous rendions tous les deux à une fête de famille fasse de nous un couple trop… officiel ?

Il se contenta de soupirer. Pour la première fois depuis leur rencontre, Claudia le voyait dans une situation d'impuissance.

Passant prestement son bras sous le sien, elle ajouta :

— Allons, ne t'inquiète pas ! Pour moi, cela n'a aucune valeur symbolique.

Vraiment ? pensa-t-il vaguement irrité. Aurait-il préféré que le fait de rencontrer sa famille constitue pour elle un événement ?

— Peu importe, marmonna-t-il enfin. Le plus tôt nous entrerons, le plus tôt nous repartirons !

11.

Comment avait-il pu penser que Claudia ne cadrerait pas dans le décor ?

Elle était tout simplement merveilleuse, à la fois douce et souveraine. Elle avait découpé la bûche glacée… et coupé court aux plaisanteries douteuses de son cousin avec la même assurance et le même doigté. Avec les autres membres de sa famille aussi, elle s'en était brillamment sortie. Et quand Maura s'était rendu compte qu'elle avait perdu son alliance, c'était Claudia qui avait suggéré d'inspecter le siphon, étant donné que Maura avait fait la vaisselle et que sa bague avait pu glisser de son doigt. Hypothèse qui s'était avérée juste ! D'ailleurs, Claudia aurait elle-même ouvert le siphon si les hommes de la famille ne s'étaient pas interposés pour reprendre leurs prérogatives !

Elle s'était entretenue longuement avec Brian qui, fraîchement émoulu de l'université, était à la recherche de son premier emploi. Elle lui avait alors communiqué les coordonnées d'une de ses connaissances susceptible de l'embaucher.

Et lorsque oncle Harold et oncle Matt avaient commencé leur dispute habituelle, elle avait réalisé un sacré tour de force en attirant promptement l'attention d'Harold sur un autre sujet, tandis que Sophia entraînait son père hors de la pièce. Cette action remarquable l'éleva immédiatement au statut d'héroïne au sein de la famille Mallory. Et au moment du départ, tante Adèle avait vivement recommandé à Ethan de ne pas laisser une jeune femme aussi convenable lui glisser entre les doigts.

Quant à Amy, elle avait manqué renverser son verre lorsque Claudia lui avait assuré que son cousin, Ethan, était un homme raisonnable, qui pouvait également faire preuve d'une grande sensibilité. A cet instant, Ethan s'était retiré sur la pointe des pieds pour qu'on ne le surprenne pas en train d'écouter des confidences qu'il n'était pas censé entendre...

Finalement, Claudia pouvait parfaitement s'adapter à son monde à lui, conclut-il. Mais la réciproque serait-elle vraie ? Cette question ne cessait de le tarauder. D'autant qu'avec Stacy, la rencontre n'avait guère été concluante.

— Ton amie Stacy n'a pas l'air de m'apprécier, déclara Ethan.

Ils se rendaient à présent chez la famille Barone, et Ethan appuyait sur l'accélérateur car il craignait qu'ils n'arrivent en retard. Pour sa part, il s'en fichait — au contraire, le moins de temps il passerait là-bas, le mieux ce serait — mais il ne voulait pas placer Claudia dans une situation délicate. Encore que celle-ci ne paraissait pas réellement pressée d'arriver !

C'était elle qui avait tenu à « rester encore un peu » chez Sophia, qui avait repris deux fois du gâteau et du café. Au fond, ne cherchait-elle pas à retarder le moment de se rendre chez sa tante ? Nul doute qu'elle était plus inquiète qu'elle ne voulait bien l'admettre. Peut-être même regrettait-elle d'avoir convié les Conti, ce soir. A moins qu'elle ne se tracassât sur les révélations que Derrick avait promis de faire.

— Il faut excuser Stacy, répondit Claudia. Elle était un peu nerveuse à l'idée de te rencontrer.

— Tout de même, quel drôle d'accueil ! « C'est encore pire que je ne croyais », répéta-t-il en mimant Stacy. Qu'a-t-elle voulu dire au juste ?

— Elle se fait du souci pour moi, c'est tout.

En d'autres termes, Stacy estimait qu'il n'était pas digne d'elle ! Et quoi d'étonnant, pensa-t-il en mettant son clignotant en direction d'une rue prestigieuse de Boston : Mount Vernon Street. Il suffisait de regarder où allait se dérouler la petite sauterie : à Beacon Hill, le quartier huppé de Boston.

Curieux ! Quelque chose lui disait que cette réunion familiale allait être moins divertissante que l'autre. Ici, Claudia et lui ne seraient pas censés former un couple. Pour la famille Barone, il était le détective sur qui l'une des leurs — Claudia — devait garder un œil vigilant. Rien de plus. Par conséquent, le moindre geste tendre envers elle était ce soir prohibé… Quelle gageure !

— Il y a beaucoup d'invités, observa-t-il en arrivant à l'adresse indiquée, en quête d'une place pour se garer parmi les nombreuses voitures.

Et quelles voitures ! Elles en disaient long sur la fortune de la famille !

— Tiens, je vois la Cruiser de mes parents, s'exclama Claudia. Et le 4x4 de Nicholas. J'espère que parmi tous ces véhicules, il y a aussi ceux des Conti.

— Ils ne sont peut-être pas encore arrivés, il est à peine 19 heures, tu sais.

Ethan avait recommandé à Sal d'arriver un quart d'heure en retard afin de laisser à Claudia le temps d'expliquer à sa propre famille pourquoi elle avait convié les Conti à une réunion Barone.

— Parfait ! C'est l'heure à laquelle j'avais promis à tante Moira d'arriver.

— Je présume qu'elle a besoin de ton soutien, car tu l'as placée dans une situation bien délicate.

Au fond, il savait que les deux familles étaient civilisées et que la réunion ne dégénérerait pas en bataille rangée entre les deux clans. Il approuvait l'initiative de Claudia, à laquelle Sal Conti avait réagi positivement sans hésiter. N'était-il pas grand temps de lever les malentendus et de se serrer les coudes dans le malheur ? Ce qui était le plus préoccupant, en revanche, c'était Derrick. Qu'allait-il annoncer, ce soir ?

Comme ils descendaient de la Buick, ils rencontrèrent un autre couple devant les grilles du jardin.

— Emily ! s'écria joyeusement Claudia en se jetant dans les bras d'une jolie brune vêtue d'un jean et d'une veste en cuir. Tu as l'air en pleine forme.

— C'est aussi ce que me dit Shane, répondit-elle en lançant un regard malicieux à son mari.

— Ethan, déclara Claudia en se tournant vers lui, je te présente ma sœur, Emily, et son mari Shane Cummings. Emily, Shane, voici Ethan Mallory.

— Le détective ? demanda Shane en levant un sourcil étonné.

— En personne, répondit Ethan. Et vous, vous êtes le pompier qui avait secouru cette jeune femme des flammes, n'est-ce pas ?

Serrant la main d'Emily, il ajouta :

— Ravi de vous rencontrer. J'aimerais m'entretenir un peu avec vous, tout à l'heure.

— Je doute pouvoir vous être utile, répondit Emily, méfiante. Je ne me rappelle rien de cette nuit.

— Avez-vous pensé à l'hypnose ?

Immédiatement, Emily jeta un coup d'œil à son mari.

— Si l'amnésie a une origine physiologique, intervint Shane, je ne pense pas que l'hypnose soit la solution.

— Sans doute. Il n'empêche, cela ne coûte rien d'essayer.

Emily promit d'y réfléchir, et tous quatre se dirigèrent vers la porte, Emily et Shane ouvrant la marche.

— Es-tu certaine que c'est bien ta sœur ? glissa Ethan à Claudia.

— Je sais, fit cette dernière en souriant, nous ne nous ressemblons pas — du moins en apparence. Car Emily peut parfois se montrer aussi entêtée que moi, mais elle cache mieux son jeu que moi.

La maison était encore plus impressionnante de l'intérieur que de l'extérieur, pensa Ethan en en franchissant le seuil. Une véritable plongée dans le Vieux Monde, à commencer par cette superbe commode Louis XVI dans le vestibule, pour laquelle, personnellement, il se serait damné. Il raffolait des meubles patinés par le temps et l'histoire.

Il lança un coup d'œil à Claudia qu'une domestique en uniforme aidait à retirer sa veste. Chez elle — à part la causeuse en velours blanc dont il gardait un excellent souvenir —, tout était résolument moderne. Post-moderne, même. Sûrement une façon d'affirmer son indépendance par rapport à sa famille, conclut-il tout en déplorant cet acte vindicatif.

Mon Dieu, Claudia et lui n'avaient décidément rien en commun ! Cette pensée assombrit brusquement son front et ce fut avec une mine lugubre qu'il pénétra dans le salon où s'accumulaient quantité de buffets et commodes antiques, deux méridiennes, des bergères Louis XV… et une bonne douzaine de Barone ! Qui tous tournèrent simultanément la tête vers les nouveaux arrivants !

Un silence gêné tomba immédiatement sur la pièce. Avec la spontanéité qui la caractérisait, Claudia observa :

— Quel silence éloquent ! De qui étiez-vous en train de parler avant que nous n'entrions dans cette pièce ? D'Ethan ou de moi ?

Ethan n'avait encore jamais rencontré l'homme imposant qui se tenait près de la cheminée où brûlait une belle flambée. Néanmoins, ses traits durs et son air acerbe lui étaient familiers en raison des clichés qu'il avait pu examiner de lui pour les besoins de l'enquête. Faisant mine de porter un toast, Derrick Barone leva son verre et répondit ironiquement :

— De toi et de ton nouvel amant ! Je l'ai vu quitter ton appartement de très bonne heure, mercredi matin, ce qui m'a poussé à mener ma petite enquête. C'était ce que j'étais en train d'expliquer aux autres membres de notre famille.

A ces mots, Ethan se sentit pâlir...

— Et peux-tu m'expliquer en quoi cela te regarde ? demanda Claudia sans se départir de son calme.

— Ai-je vraiment besoin de te faire un dessin, Claudia ? dit Derrick toujours sur le même ton. Quelque chose comme un conflit d'intérêt, si tu vois ce que je veux dire ! Quand la famille t'a chargée de garder un œil sur Mallory, elle n'imaginait pas alors que tu lui accorderais d'autres faveurs que celle-là.

Cette fois, Ethan serra les poings, mais réussit dans un suprême effort à conserver le contrôle de lui-même. Il ne pouvait tout de même pas décocher un coup de poing au frère de Claudia ! Et surtout pas ici, devant toute la famille réunie. Néanmoins, si personne n'intervenait rapidement, pensa-t-il en balayant du regard la petite assemblée, il ne répondait pas de lui-même...

— Cela suffit, Derrick ! Inutile d'être déplaisant ! décréta un homme assez replet, de taille moyenne.

Il s'agissait de Paul Barone, le père de Claudia. Nicholas voulut alors protester, mais sa mère s'interposa immédiatement :

— Non ! Je ne permettrai pas de pugilat dans mon salon.

Et Moira Barone de foudroyer son fils du regard.

— Je suis désolé, reprit alors Derrick. Je me suis laissé emporter, mais c'est précisément pour cette raison que j'étais opposé à la présence de Claudia à cette réunion, car la discussion risque d'être fort pénible pour elle. Je m'inquiète des répercussions de toute cette histoire sur la société *Baronessa*, sur nous, bien sûr, mais je me fais surtout du souci au sujet de Claudia.

Ce disant, il tourna ses regards vers sa sœur, qui bien que bouillant intérieurement, préféra le laisser terminer sans lui couper la parole.

— Nous savons tous les rapports difficiles qu'elle entretient avec les hommes. En l'occurrence, comment ne pas se rendre compte que Mallory se sert d'elle pour faire avancer son enquête ?

— C'est faux ! se récria brusquement Claudia. Je ne doute pas un instant que toi, tu serais capable d'une telle ignominie, mais ne juge pas Ethan à l'aune de tes propres bassesses.

— Navré de souligner que tu n'es pas la personne la mieux placée pour plaider l'intégrité de Mallory ! rétorqua son frère.

— Intégrité ? N'emploie pas des mots dont tu ignores le sens, rétorqua vivement Claudia.

— Assez !

Ce cri du cœur émanait d'une femme élancée qui se trouvait à côté d'Ethan. Sandra Barone, sans doute, devina ce dernier.

— Derrick, poursuivit Sandra, ta sœur est assez grande pour mener sa vie comme elle l'entend. Cela ne te regarde pas.

— Est-ce pour chercher querelle à ta sœur que tu nous as tous conviés ce soir ? demanda alors Carlo Barone.

— Pour l'amour du ciel, oncle Carlo ! répondit Derrick. Je sais que Claudia est l'enfant chérie de la famille, mais on ne peut pas lui faire confiance pour surveiller Mallory. Il peut lui faire avaler n'importe quelle couleuvre entre deux baisers.

— Quels propos répugnants ! s'indigna alors Ethan. Il est vrai que vous n'êtes pas sorti major de votre promotion, ce qui explique certainement votre incapacité à manier les métaphores.

Là-dessus, se rapprochant dangereusement de Derrick, il poursuivit :

— Corrigez-moi si je me trompe, mais d'après ce que je comprends, vous auriez préféré que votre famille vous charge *vous* de surveiller mon enquête, n'est-ce pas ?

— Moi ou une autre personne que vous ne seriez pas susceptible de b…

A cet instant, la main d'Ethan s'abattit sur l'épaule de Derrick. Il la serra violemment tout en lui ordonnant d'une voix blanche :

— Un conseil ! Taisez-vous !

Derrick devint soudain fort pâle. Il ouvrit la bouche, la referma. Puis tenta de se dégager de l'étreinte d'Ethan qui continuait de lui agripper l'épaule. Brusquement, ce dernier le relâcha et Derrick manqua perdre l'équilibre.

— Qu'une chose soit bien claire, reprit Ethan avec détermination. Personne ne surveille mes enquêtes, O.K. ? En revanche, il m'arrive de faire appel à des assistants. Des gens en qui j'ai pleinement confiance. Or, il se trouve que Claudia est digne de confiance. Ce que je n'affirmerai pas de vous. Un conseil : la prochaine fois que vous me croisez, changez de trottoir !

— Sinon quoi ? Vous en viendrez aux mains ? Dites-moi, monsieur Mallory, recourez-vous toujours à la force lorsque vous êtes à bout d'arguments ? Et vous, ajouta Derrick à la cantonade, comment tolérez-vous une conduite si grossière ? Cet homme s'arroge le droit de m'humilier et de me brutaliser devant ma famille sans que personne ne réagisse ?

— Difficile d'attendre autre chose que de la brutalité de la part d'Ethan, annonça posément une voix féminine du seuil du salon. Bravo, Derrick ! Manifestement, tu es le seul Barone à ne pas te laisser intimider.

Oh non ! pensa Ethan en se retournant lentement vers la nouvelle venue. Il ne manquait plus qu'elle !

Bianca !

La soirée aurait certainement pu être pire, pensa Claudia. Oui, elle en avait connu de bien plus pénibles… même si elle ne parvenait pas à trouver d'exemples dans ses souvenirs !

Personne n'avait apprécié le comportement de Derrick — pas davantage celui de Bianca, d'ailleurs ! Tous les deux avaient terminé la soirée seuls dans leur coin, à casser du sucre sur le dos de tout le monde, vraisemblablement !

Si la conduite de Derrick avait été vivement critiquée, ses propos acrimonieux n'avaient toutefois pas été sans conséquence. Résultat : Claudia avait dû subir tous les conseils avisés des différents membres de sa famille. Certes, de façon peu vindicative et discrète, mais tout de même !

Elle avait hâte de se retrouver chez elle et d'oublier tout ce petit monde.

— Je préfère ta famille à la mienne, décréta-t-elle dans la Buick, sur le chemin du retour.

— Tu oublies l'oncle Harold, lui rappela Ethan en faisant une drôle de grimace.

— N'essaie pas de me faire rire ! J'ai envie de m'apitoyer sur mon sort, cela ne m'arrive pas souvent, alors quand je succombe à la tentation, je veux le faire à fond.

— Je comprends, il faut de la concentration pour acquérir de nouveaux talents ! observa-t-il non sans ironie.

Parfaitement, acquiesça Claudia *in petto* avant de se replonger dans ses pensées.

Derrick avait vraiment été odieux, ce soir. Elle avait du mal à admettre son attitude. D'ailleurs, il avait été déplaisant avec tout le monde, pas seulement avec elle ! Et, comme si cela ne suffisait pas, avant qu'elle ne parte, il avait tenu à s'entretenir en aparté avec elle. Là, ses propos avaient frisé l'indécence.

Durant ce pénible tête-à-tête, une colère proche de la haine crispait les traits de Derrick, et Claudia avait alors éprouvé une sensation affreuse : celle d'avoir affaire à un inconnu. Pour résumer, son frère lui avait reproché de trahir sa famille. Or, ce n'était pas tant ses accusations infondées qui avaient affligé Claudia que le regard haineux de Derrick.

Bien sûr, son frère n'avait jamais eu un caractère facile car il était extrêmement égocentrique ; mais c'était la première fois qu'il se comportait si cruellement avec elle.

Claudia soupira. Décidément, elle ne le comprendrait jamais. Elle avait l'impression qu'il recherchait à tout prix l'approbation de sa famille sans pouvoir s'empêcher pour autant de se disputer avec tous les siens.

Pourquoi était-il à ce point pétri de contradictions ?

Avait-elle elle-même contribué au mal-être de son frère ? Sûrement ! Elle se reprochait notamment de ne pas avoir été assez attentive à ses demandes ou à ses attentes, lorsqu'ils étaient plus jeunes. Si elle lui avait apporté un plus grand soutien, la personnalité de Derrick se serait peut-être construite différemment... Mais, par négligence, par tolérance coupable, elle avait laissé faire, n'avait pas voulu voir. Et le lien fraternel s'était peu à peu effrité.

A quand remontait leur dernière conversation téléphonique, par exemple ? Elle ne s'en souvenait même pas. Pas plus qu'elle ne se rappelait la dernière fois où elle l'avait invité à déjeuner avec elle. Un terrible sentiment de culpabilité la submergea. Elle était tellement occupée à résoudre les problèmes d'autrui qu'elle en avait oublié ceux de son propre frère.

— Est- ce que toute ta famille partage le goût de ton oncle et de ta tante pour les antiquités ?

La question d'Ethan l'arracha à ses tristes pensées.

— Pardon ? Euh, oui... Même si ma mère préfère le style Vieux Boston que Vieux Monde.

— En tout cas, toi, tu as une nette préférence pour le design.

— Quand j'ai déménagé de chez mes parents, j'avais envie de vivre dans un univers radicalement différent, afin d'affirmer mon indépendance.

— Je comprends, les vieux meubles, tu en as trop vu.

— Non, cela me plaît aussi. En fait, je crois qu'un mélange d'antiquités et de modernité me conviendrait parfaitement. Cela donne plus de caractère à un intérieur.

Puis, non sans soupirer, elle poursuivit :

— Franchement, ce soir, j'ai eu tout faux, n'est-ce pas ? Ce n'était vraiment pas la soirée pour inviter les Conti.

— Allons, ne noircis pas le tableau. Cette réunion a également eu des aspects positifs.

— Manifestement, tu n'as pas entendu les mots aigrelets échangés par oncle Carlo et Sal Conti ! Sal a traité Carlo « d'âne moralisateur », et ce dernier s'est défendu en lui attribuant le titre de « fouineur nocif », qui n'avait rien de mieux à faire de que louer les services d'un détective pour fourrer son nez dans les affaires des autres.

— Au moins, ils ont fait preuve d'imagination dans les insultes, observa Ethan, amusé.

— Le but de la soirée n'était pas précisément de susciter ce genre de créativité.

— Allons, dit Ethan en tapotant affectueusement le genou de sa passagère, au moins, ils se sont parlés, ce qu'ils n'avaient pas fait depuis des années. Et Steven Conti est bien déterminé à enfouir cette querelle de famille.

— Voilà qui me rassure. Cet homme m'a été d'emblée sympathique.

— C'est-à-dire ? fit Ethan immédiatement suspicieux.

— En tout bien, tout honneur ! précisa-t-elle. Ethan, j'ai eu une soirée fort éprouvante, épargne-moi les scènes de jalousie. Désolée, mais je ne suis pas de bonne compagnie ce soir. Reconduis-moi chez moi.

— Veux-tu vraiment être seule ? J'avais d'autres projets pour nous, ce soir.

A cet instant, le timbre de sa voix fit vibrer le cœur de Claudia. Oh, bien malgré elle ! Et pour son malheur, elle l'entendit poursuivre :

— Je sais pourquoi tu veux être seule : pour ruminer ! Ce que tu ignores, c'est que tu peux parfaitement le faire en ma présence :

rien ne t'oblige en effet à me parler. D'ailleurs, tu n'es pas obligée de faire quoi que ce soit. Je m'occuperai de tout.

— Combien de fois devrais-je te répéter que je suis une partisane du plaisir partagé ? Et pour cela, les deux partenaires doivent être actifs. Or, il se trouve que ce soir, je n'ai aucune énergie.

— Si c'est mon plaisir qui te tracasse, ne t'en fais pas : il suffit que je t'entende respirer pour être comblé. Ce soir, je t'interdis de faire quoi que ce soit.

— Tu m'interdis ? répéta Claudia mi-amusée, mi-interloquée.

— Parfaitement, Madame ! Ecoute bien ce que je te propose. Nous filons chez moi. Dès que nous avons refermé la porte de mon appartement, je te déshabille tout doucement, en prenant mon temps. Puis je te porte jusqu'à mon lit, et je te contemple longuement, parce que le spectacle de ton corps est toujours un véritable régal pour mes yeux…

Le diable d'homme, pensa-t-elle, incapable de retenir un petit sourire.

— Ensuite, quand je jugerai que je t'ai assez admirée, je t'embrasserai. Et sais-tu quelle partie de ton corps j'embrasserai en premier ?

Etait-ce précisément cette partie d'elle-même qu'elle sentait s'embraser peu à peu sous les paroles enjôleuses de son amant ?

— En fait, je ne sais pas encore par où je commencerai, continuait Ethan. Il n'y a pas une parcelle de ton corps que je n'ai envie d'embrasser… Pourquoi pas l'arrière de tes genoux ? Tu es très sensible à cet endroit, n'est-ce pas ? Ensuite, je jetterai mon dévolu sur ta nuque, puis je mordillerai tes seins. J'adore quand ils durcissent et rosissent…

— Ethan, tu…

— Chut ! Je te l'ai déjà dit, tu n'es pas censée parler. Pour une fois, tu ne dois rien faire, Claudia. Bon, où en étais-je ? Ah oui, tes seins… J'ai envie de les titiller, longuement, sensuellement, leur chair est si délicate, si douce. Il n'y a qu'un seul autre endroit de ton corps capable de rivaliser avec elle. Un endroit aussi doux, mais plus soyeux, plus…

— Ethan, assez !

— En réalité, c'est par là que je commencerai ! décida-t-il subitement. Je me passerai des mises en bouche car je suis affamé.

— Ethan, accélère, s'il te plaît ! lui ordonna-t-elle alors fermement.

Il n'attendit pas d'être au lit pour la caresser.

Oh, ce ne fut pourtant pas faute d'avoir essayé ! Comme promis, Ethan entreprit de déshabiller Claudia dès la porte refermée. Mais celle-ci était si excitée qu'il pouvait à peine la toucher !

A dire vrai, un feu dévastateur le consumait lui aussi. Aussi sauta-t-il allégrement quelques étapes du plan énoncé dans la Buick et conçu dans le dessein de lui faire oublier l'attitude de Derrick et de chasser le désespoir qui était venu se loger au fond de ses prunelles. Et pour qu'elle n'arrive pas à la conclusion que lui avait déjà tirée : l'étau, hélas, allait se resserrer sur Derrick.

Dès que Claudia se retrouva nue dans ses bras, il s'agenouilla devant elle et lui donna les divins baisers promis. L'odeur boisée qui émanait de son intimité, les gémissements lascifs qu'elle poussait de temps à autre le rendaient fou. Fou d'amour et de désir…

Pour sa part, Claudia joua pleinement le jeu en lui laissant toutes les initiatives, en obéissant à tous ses ordres, en se pliant à tous ses jeux sensuels… Et elle y prenait un plaisir exquis ! Jamais elle ne s'était abandonnée de cette façon.

Quand Ethan la souleva dans ses bras pour l'emmener dans la chambre et qu'elle voulut tendrement lui caresser la joue, il se récria :

— Non ! Ne fais rien… Contente-toi de respirer.

Là-dessus, il la déposa délicatement sur son lit et l'embrassa longuement sur la bouche. A peine eut-il détaché ses lèvres des siennes, qu'elle protesta :

— Ce n'est pas juste, moi aussi je veux te voir nu !

— Pas un geste ! J'y remédie, lui assura-t-il.

Quand il revint s'allonger sur elle, elle sentait cette fois sa peau brûlante sur la sienne. Elle en frémit... L'instant, d'après, il se noyait en elle.

Elle laissait le plaisir affluer, immobile ainsi qu'Ethan en avait décidé. Qu'il était curieux d'être celle à qui l'on donnait et non celle qui donnait. A la réflexion, ce n'était pas désagréable du tout. C'était d'ailleurs plutôt libérateur !

Et tandis qu'Ethan ondulait de façon exquise au-dessus de son corps languide, les pensées de Claudia s'envolaient peu à peu et son plaisir se précisait doucement... Jusqu'à ce que Ethan hurle le nom de sa dulcinée et enfouisse sa tête dans son épaule. Une vague de jouissance la submergea à son tour, la laissant sans souffle, sans voix...

Roulant à ses côtés, Ethan l'attira étroitement contre lui. Un merveilleux sourire éclairait le visage de Claudia, un sourire qui décrivait mieux que tous les mots le paradis où il l'avait conduite. Jamais encore elle n'avait joué les passives consentantes dans les bras d'un homme. Et elle avait eu tort ! conclut-elle. Encore qu'avec un autre amant qu'Ethan, elle n'imaginait pas une telle expérience possible...

Soudain, elle prit peur.

Elle ne connaissait Mallory que depuis dix jours ! Et entre eux, il s'agissait simplement d'une histoire passagère. Une relation sérieuse requérait bien plus de temps pour...

— De retour sur terre ? lui demanda-t-il de sa voix profonde et râpeuse.

— Hum, dit-elle en emmêlant ses jambes aux siennes. C'était... incroyable !

— Comme toi, répondit-il en lui embrassant gentiment le lobe de l'oreille.

Un frisson la parcourut.

Hélas, cette fois, ce n'était pas le souffle du désir qui la faisait frémir, mais celui de la peur... Tout était trop bien, trop parfait avec Ethan. A tel point qu'elle aurait volontiers passé les deux ou trois prochaines années lovée dans ses bras, à ne rien faire.

Ce qui ne lui ressemblait absolument pas ! Jamais un homme n'avait suscité chez elle qui se targuait d'être une femme d'action et de caractère, de telles envies !

Soudain, elle s'aperçut que, redressé sur un coude, Ethan la contemplait attentivement.

— Chérie, décréta-t-il alors, si tu t'inquiètes pour ce que nous avons dit l'autre jour sur le caractère éphémère de notre relation, oublie ! J'ai changé d'avis.

— Vraiment ? dit-elle en sourcillant, immédiatement sur ses gardes.

— Je crois que nous devrions nous marier, lui déclara-t-il tout à trac dans un magnifique sourire.

A ces mots, un vertige de panique s'empara de Claudia.

Et elle comprit qu'elle devait fuir illico presto.

— Je rentre chez moi ! annonça-t-elle en bondissant sur ses pieds.

12.

— Où vas-tu ? s'écria brusquement Ethan en la voyant chercher ses vêtements épars.

— Je t'ai dit que je m'en allais ! J'ai un rendez-vous important demain matin, je ne peux pas passer la nuit chez toi.

— Je viens de te faire une proposition de mariage et toi, tu ne trouves rien de mieux à faire que de déguerpir ? s'indigna-t-il.

— Non ! se récria-t-elle. Il ne s'agissait pas du tout d'une demande, tu as simplement dit que nous *devrions* nous marier.

— Je n'ai pas été assez romantique, c'est donc cela ? *Mea culpa*, je te présente toutes mes excuses...

Comme elle continuait à s'affairer autour du lit, en quête de son soutien-gorge, Ethan finit par s'impatienter :

— Cesse de t'agiter ainsi et assieds-toi ! Il est nécessaire que nous parlions !

— Je n'ai pas d'ordre à recevoir de toi ! répliqua-t-elle. De toute façon, tu n'as pas envie de m'épouser.

— Dans ces conditions, pourquoi t'aurais-je fait cette proposition ? Claudia, écoute-moi !

Elle releva la tête de dessous le lit où elle avait enfin trouvé son soutien-gorge.

— Non, Ethan, c'est toi qui vas m'écouter ! répliqua-t-elle vivement. Je ne suis pas le genre de femmes qui épouse un homme qu'elle ne connaît que depuis dix jours. C'est parfaitement ridicule !

Tu me remercieras, plus tard, de ne pas avoir pris ta proposition au sérieux !

— Inutile de t'énerver de cette façon ! Calme-toi, Claudia, lui ordonna Ethan.

— C'est toi qui me rends hystérique, oui ! lui reprocha-t-elle.

Ce fut alors qu'Ethan commit une grave erreur.

Il en eut conscience au moment où il la commettait sans pouvoir pour autant s'en empêcher. Claudia était si belle en colère, à moitié nue et les mains sur les hanches. Si belle et en même temps, si peu crédible… qu'il en éclata de rire.

En représailles, elle jeta l'annuaire dans sa direction. Il l'attrapa au vol, non sans cesser de rire.

— Chérie, voyons ! Quelles sont ces façons ? dit-il d'un ton faussement offusqué, avant d'ajouter : D'abord, tu ne peux aller nulle part, tu n'as pas de voiture.

— Je te rappelle que je me déplace en taxi, dit-elle en enfilant sa veste.

— Très bien ! fit-il agacé, comprenant qu'elle était déterminée à lui fausser compagnie. Je vais te raccompagner chez toi, puisque tu tiens réellement à partir !

Bondissant à son tour hors du lit, il ne put s'empêcher de marmonner :

— Quelle entêtée ! C'est incroyable de — Claudia, attends !

Celle-ci avait déjà posé la main sur la poignée de la porte.

— Ne me donne pas d'ordre, tu as compris ? lui répéta-t-elle en se retournant.

— Je ne te laisserai pas disparaître tant que nous n'aurons pas eu une discussion sérieuse tous les deux ! Quitte à t'attacher !

— M'attacher ? fit-elle en ouvrant la porte. Et tu prétends vouloir m'épouser ! Crois-tu vraiment que je vais épouser un homme des cavernes ?

— Claudia, je t'aime, déclara Ethan à bout d'arguments.

— Moi aussi je t'aime ! répondit-elle sur un ton presque furieux.

Là-dessus, la porte claqua derrière elle.

Elle l'aimait, il avait bien entendu. Ça alors, c'était incroyable... Claudia l'aimait. Bon sang, pourquoi restait-il derrière sa porte sans réagir ?

Il la rattrapa alors qu'elle s'apprêtait à pousser la porte de l'immeuble.

— Claudia !

Elle se retourna vivement... et manqua s'étrangler :

— Ethan ! Tu es entièrement nu !

— Nous devons parler, Claudia !

Et vite, car il faisait un froid de canard dans ce vestibule où, à tout instant, un voisin risquait d'apparaître !

— D'accord, concéda-t-elle. Mais plus tard ! Dans six mois, lorsque nous aurons eu le temps de faire connaissance, toi et moi.

— Maintenant !

— Non !

Avant que Claudia ne pivote sur ses talons pour s'enfuir — il pouvait difficilement la poursuivre dans son plus simple appareil à travers les rues de Boston — Ethan eut le temps d'apercevoir un reflet mouillé dans ses yeux.

Claudia l'aimait, elle le lui avait dit, mais pour une raison inconnue de lui, cela lui donnait envie de pleurer. En outre, elle avait été prise de panique quand il l'avait demandée en mariage. Il concédait qu'il avait été maladroit, néanmoins cela n'expliquait pas entièrement la réaction de Claudia.

Il soupira. Nul doute qu'il avait précipité les choses ! Elle avait besoin de temps, il ne pouvait l'en blâmer. *Mais lui brûlait d'impatience !* Six mois de réflexion, c'était au-dessus de ses forces. Et puis...

Et puis, il y avait cette fichue enquête !

Ses dernières découvertes plaidaient ouvertement en défaveur de son frère. Cet après-midi, chez tante Maura, oncle Thomas l'avait pris en aparté pour lui annoncer qu'il avait retrouvé Norblusky.

Le lendemain, Claudia fredonnait tranquillement en descendant du taxi qui l'avait déposée devant l'agence d'Ethan. Il était 11 heures du matin et elle était d'excellente humeur.

Un sourire éclaira son visage lorsqu'elle franchit le seuil de l'immeuble car elle revit instantanément la scène de la veille : Ethan, entièrement nu, cherchant à la rattraper. C'était de la folie douce… mais si touchante !

Ce matin, elle avait les idées plus claires, et se sentait un peu honteuse d'avoir si mal réagi à sa proposition de mariage. Et Ethan, pensa-t-elle soudain, comment réagirait-il s'il apprenait qu'elle lui avait dérobé son double de clés pour s'introduire en son absence dans ses bureaux ?

Bah ! Elle préférait ne pas y penser, de toute façon, il n'en saurait rien puisqu'il travaillait sur un autre cas, ce matin, ainsi qu'elle l'avait appris de sa propre bouche. Le pauvre, son enquête sur Norblusky piétinait sérieusement ! Ce dernier était toujours introuvable et aucune nouvelle piste ne paraissait conduire à lui. Visiblement, Norblusky était plus malin qu'Ethan ne l'avait cru au départ. Conclusion : il ne fallait jamais sous-estimer ses adversaires !

Bref, toujours est-il que Claudia, désireuse de faire progresser l'enquête de son côté, avait décidé de reprendre l'ensemble du dossier du début, de l'étudier de nouveau attentivement, tranquillement et de tenter de tirer de nouvelles conclusions.

Ce ne fut qu'une fois assise dans le fauteuil d'Ethan qu'elle se rendit compte que l'ordinateur était allumé, même si l'écran était noir. Ethan avait-il changé d'avis ? Et dans ce cas, où était-il ? Parti acheter du café ?

Soudain, le fax se mit en marche. Elle fronça les sourcils. Allait-elle résister à la tentation de lire cette télécopie ? Peut-être était-elle liée à l'enquête... Ou peut-être pas, et dans ses conditions, ce serait comme lire le courrier personnel d'Ethan. Allons, elle pouvait bien jeter un rapide coup d'œil sur les premières lignes... Si ce fax n'avait rien à voir avec l'enquête, elle en resterait là.

L'impression de la première page terminée, Claudia s'en empara. C'était le relevé de compte bancaire d'un certain Guy Amberson... Ce nom ne lui disait absolument rien. Pourtant, elle s'avisa que le lendemain du sabotage, Guy Amberson avait déposé une somme de soixante-quinze mille dollars sur son compte. Plus de doute ! Ce fax avait un rapport avec l'enquête. Et dire qu'Ethan ne lui avait pas touché un mot de tout cela ! Elle se saisit de la deuxième page. Un autre relevé de compte, et une autre rentrée d'argent aussi conséquente que la première... le lendemain de l'incendie !

Au total, il y avait cinq relevés de compte ainsi qu'une facture, émanant d'un certain Ernie qui précisait que cette facture était adressée à Ethan suite à l'envoi des relevés de compte bancaire de Guy Amberson, alias... *Derrick Barone.*

Claudia se figea, la feuille lui tomba des mains...

A cet instant, la porte de l'agence s'ouvrit.

— Qu'est-ce que — Claudia ! Comment es-tu rentrée ?

— Avec le double de tes clés, expliqua-t-elle comme un automate.

Ethan aperçut la feuille tombée à ses pieds, avant de voir les autres, près du fax. Lui aussi se figea.

— Tu sais ce que c'est, n'est-ce pas ? commença-t-elle en se laissant tomber dans le fauteuil, les jambes chancelantes. Des relevés de compte censés appartenir à mon frère. Des faux, bien sûr. Je sais que Derrick a un caractère un peu difficile, mais il n'est pas... Il n'aurait pas commis un crime contre de l'argent ! Qui plus est contre sa propre famille, c'est inimaginable.

— Les renseignements de mon informateur sont toujours fiables, déclara Ethan à contrecoeur.

Là-dessus, il parcourut rapidement des yeux les relevés de compte bancaire et ajouta :

— Je suis désolé, Claudia.

— Ce Guy Amberson n'est pas Derrick, martela-t-elle. On essaie de lui faire porter le chapeau, de te faire croire que c'est lui. Mais ces relevés ont été falsifiés !

— Non, ils sont authentiques, Claudia.

— Soit ! Mais rien ne prouve que cet Amberson soit mon frère.

— Hier, mon oncle a retrouvé Norblusky et…

— Pardon ? Et tu ne m'as rien dit ? Pourquoi ?

Sans répondre à ce reproche, il continua :

— La sœur de Norblusky recevait régulièrement des chèques. Mon oncle s'est procuré une copie de l'un d'eux et c'est ainsi qu'il est remonté jusqu'à lui.

Il fit une pause, pour la laisser assimiler les informations, puis poursuivit :

— Norblusky a parlé. Il a confié à Thomas que Derrick l'avait payé pour se cacher. Et qu'il lui avait indiqué l'itinéraire qu'il devait prendre le jour du sabotage.

— Il ment, décréta Claudia. J'ignore pour quelle raison, mais il ment. Il se peut parfaitement qu'on l'ait payé pour proférer ces ignobles mensonges.

— Norblusky a encaissé un chèque émis par Guy Amberson. Mon oncle a montré une photo de Derrick à l'une des employées de la banque où le dénommé Guy Amberson a ouvert son compte, et celle-ci l'a identifié comme étant Guy Amberson. Elle se souvenait bien de lui, car il lui avait fait du charme.

Les oreilles de Claudia bourdonnaient. Non, Ethan ne pouvait pas avoir raison. C'était impensable !

— Nous devons informer Derrick qu'on cherche à l'incriminer. Il a le droit de savoir ! s'écria-t-elle.

— Non ! trancha brutalement Ethan.

— Si ! Il faut le mettre au courant. C'est mon frère, je ne peux accepter qu'on l'accuse et qu'on le manipule de cette façon.

— Je pressentais ta réaction et c'est pour cette raison que je ne t'avais encore rien dit, répondit Ethan d'un air soudain bien las.

— Combien de choses encore m'as-tu cachées ? demanda-t-elle alors d'un ton accusateur. Ces prétendues affaires sur lesquelles tu travaillais en parallèle n'existent pas, n'est-ce pas ?

Ethan ne répondit pas : son silence n'était-il pas un aveu ?

— Oh, mon Dieu ! fit Claudia. Tu étais sur les traces de Derrick depuis le début, n'est-ce pas ?

Soudain, elle pensa à ses parents. A sa sœur, à tous les membres de sa famille qui lui étaient chers…

— C'est horrible, reprit-elle. Ethan, je t'en prie, ne tire pas de conclusions hâtives, il *doit* y avoir une erreur, je suis sûre que c'est un coup monté, laisse-moi un peu de temps et je te prouverai que j'ai raison.

— Il n'y a pas de coup monté, Claudia. J'ai déjà tout vérifié au moins trois fois. C'est sous le pseudonyme de Guy Amberson que Derrick s'est procuré le poivre. C'est lui qui a payé Norblusky, et qui plus est, il n'a aucun alibi pour la nuit de l'incendie.

— Et toi, tu n'as aucune preuve concrète contre lui en ce qui concerne l'incendie !

— Pas encore… Cependant, je dois remettre à la police les preuves que j'ai accumulées contre Derrick.

— Non, tu as tout faux, Derrick est innocent, se récria Claudia, paniquée.

Ethan avait tort, il ne pouvait en être autrement !

Eventuellement — et non sans éprouver une sensation de nausée — elle pouvait concevoir que Derrick ait déversé du poivre sur le sorbet contre un pot-de-vin. Comme personne ne l'appréciait au sein de la société *Baronessa*, il avait été mis au placard. Dans un suprême effort, elle pouvait donc imaginer qu'il ait voulu prendre une revanche contre la famille en desservant les intérêts de celle-ci. Mais l'incendie criminel, non, c'était exclu ! Derrick ne pouvait pas en être l'auteur. Aussi ajouta-t-elle :

— Je te rappelle tout de même que ma sœur a failli périr dans les flammes ! Il est impossible que Derrick, son propre frère, ait voulu la faire disparaître.

— Il ne savait probablement pas qu'elle était à l'usine, observa Ethan, morose.

— Crois-tu qu'Emily pourrait se souvenir de quelque chose, sous hypnose ? demanda subitement Claudia.

— C'est fort possible. D'ailleurs, je crois me souvenir qu'elle n'était pas totalement réfractaire à cette idée.

— Voilà ce que je te propose : pour l'instant, ne livre pas tes informations à la police et laisse-moi convaincre Emily de se soumettre à une séance d'hypnose. Si elle parvient à retrouver la mémoire, peut-être que ses révélations innocenteront Derrick.

Il la jaugea un long moment, puis finit par dire :

— Entendu !

La salle d'attente du thérapeute était minuscule, pensa distraitement Ethan tandis que Claudia, nerveuse, faisait les cent pas.

Après leur conversation, elle s'était immédiatement rendue chez sa sœur, laquelle avait accepté la séance d'hypnose pour sauver Derrick. En ce moment, Emily se trouvait dans le cabinet du thérapeute, qui avait gentiment toléré la présence de Shane pendant la consultation. Ethan regarda sa montre : ils étaient à l'intérieur depuis vingt-sept minutes exactement.

Claudia, très pâle, attendait anxieusement les résultats de la séance. Elle ne faisait absolument pas attention à lui, lui qui aurait tant aimé la prendre dans ses bras, la rassurer, la consoler.

Malheureusement, quand il avait voulu tendre un bras réconfortant vers elle, elle l'avait foudroyé du regard et s'était écarté de lui.

Ethan avait dû jouer de ses passe-droits pour obtenir un rendez-vous de toute urgence avec le Dr Dana Merriweather, cette dernière étant la sœur du mari de sa cousine Sharla ! Une grande famille, cela pouvait parfois être utile, se dit-il, même si cela présentait un inconvénient majeur : on ne pouvait pas répondre de tous ses membres et il y avait presque toujours une brebis galeuse !

Ethan étendit les jambes. Les fauteuils de Dana étaient certes confortables mais peu adaptés aux hommes de sa taille. Il espérait que la séance allait bientôt prendre fin avant qu'il n'attrape des crampes… et que Claudia ne fasse une crise de nerfs !

Soudain, il l'entendit marmonner des paroles inintelligibles.

— Que dis-tu, trésor ? demanda-t-il, heureux qu'elle brise enfin le pesant silence.

— Rien, je réfléchissais à voix haute, répondit-elle en le fixant d'un regard vide.

Sûrement à la façon dont faire sortir Derrick de prison, se dit-il tristement. A cet instant, la porte du cabinet s'ouvrit et la frêle silhouette d'Emily se dessina sur le seuil. Claudia s'immobilisa.

Mon Dieu ! La pâleur d'Emily était suffisamment éloquente, ainsi que les traces de larmes sur sa joue. Shane l'enlaça d'un bras protecteur, mais elle se dégagea vivement de son étreinte pour se jeter dans les bras de sa sœur.

— L'hypnose a marché, je me suis rappelé cette affreuse soirée…

— Que t'es-tu rappelé, Emily ? l'encouragea Claudia d'une voix douce.

— Je sais à présent pourquoi je me trouvais à l'usine à une heure si tardive, le soir du drame. Je voulais vérifier quelque chose, car j'avais surpris une conversation entre Derrick et le directeur adjoint de la société *Snowcream & Co.* Cela me semblait fort curieux, je n'arrivais pas à croire que... Bref, je voulais avoir la certitude que je ne m'étais pas trompée avant de révéler quoi que ce soit...

Elle déglutit difficilement, puis déclara, agitée :

— C'est Derrick qui a mis le feu. Je l'ai vu, mais lui ne savait pas que j'étais là.

— Mon Dieu, comment a-t-il pu en arriver là ? murmura Claudia la voix brisée. Et comment ai-je pu ne rien voir ?

— Claudia, tu n'es pas coupable, intervint immédiatement Ethan.

— Si, j'aurais dû m'en rendre compte ! Mon propre frère était dans un état de désespoir tel qu'il a retourné le couteau contre sa famille, et moi, toujours affairée à aider les autres, je ne m'en suis même pas aperçu !

A ces mots, elle éclata en sanglots. Des larmes de colère, de colère contre elle-même qui n'avait rien vu, rien empêché.

— Ce n'est pas ta faute ! lui assura à son tour Emily d'une voix faible.

— Si ! Comment ai-je pu faillir à ce point ? Comment...

— Assez ! tonna brusquement Ethan.

Stupéfaite, elle s'interrompit tandis que Shane et Emily adressaient un regard surpris à Ethan. Agrippant Claudia par les bras, ce dernier poursuivit alors en détachant chaque syllabe :

— Tu n'es pas responsable de ton frère, tu n'es responsable ni de sa conduite, ni de ses actes, ni du désespoir qui l'a conduit à commettre ce crime.

— Si j'avais été un peu plus attentive, je me serais rendu compte de son mal-être. Et j'aurais pu intervenir, faire en sorte que...

— Si toi tu es coupable, alors Emily l'est encore plus que toi ! Elle travaillait avec Derrick toute la journée. Pourquoi ne s'est-elle pas rendu compte qu'il allait mal et qu'il avait besoin d'aide ? Et tes parents ? Ce sont eux les plus responsables. Quelles erreurs ont-ils donc commises pour que leur fils tourne si mal ?

— Arrête ! Ce que tu dis est horrible.

— Je sais. Tout comme le sont les accusations dont tu t'accables. Personne ne pouvait aider Derrick si lui-même ne voulait pas s'aider. Pas même toi, trésor.

A cet instant, le portable de Claudia se mit à sonner.

— Il ne manquait plus que cela ! marmonna-t-elle.

Ethan se précipita vers son sac à main. Comme celui-ci était ouvert, il aperçut le portable, s'en saisit. Ce fut alors que ses yeux tombèrent sur le nom de la personne qui appelait. Il hésita un instant, puis soucieux, le lui tendit en disant :

— Ce sont tes parents.

— Mes parents ? Mais ils ne m'appellent jamais sur mon portable. Ils savent qu'il est rarement chargé et que je suis toujours en train de le chercher…

Tremblante, elle prit l'appel.

— Allô ?

Au fur et à mesure de la conversation, la respiration de Claudia devenait de plus en plus courte… Que lui racontait-on de si terrible ?

— Oui, Emily est avec moi, dit-elle d'une voix à peine audible. Nous arrivons.

Là-dessus, elle éteignit son portable et leur adressa un regard vide de toute expression.

— Que se passe-t-il ? s'enquit vivement sa sœur.

— Derrick et Bianca ont été enlevés ! Leurs ravisseurs ont déjà appelé pour exiger une rançon.

13.

Ne disait-on pas que, au cœur de la bataille, un soldat pouvait recevoir une balle et ne pas en avoir immédiatement conscience ? C'était exactement ce qui arrivait à Claudia. Elle était comme anesthésiée, ne ressentant pour l'instant aucune douleur.

— Nous sommes bientôt arrivés, trésor, dit gentiment Ethan en jetant un regard en coin à sa passagère.

— Tant mieux ! Shane et Emily sont-ils toujours derrière nous ?

— Oui, je les vois dans le rétroviseur. Sa voiture colle la mienne, visiblement elles se plaisent !

Claudia ébaucha un triste sourire. Ethan cherchait à détendre l'atmosphère, mais elle n'avait pas le cœur à rire. Elle ne cessait de ressasser toute cette suite implacable d'événements auxquels son frère était lié.

— Ethan ? dit-elle alors qu'ils arrivaient devant la maison de ses parents.

— Qu'y a-t-il, chérie ?

Elle le regarda d'un air sombre, parut hésiter puis se décida :

— Toi aussi, tu penses comme moi, n'est-ce pas ? Derrick n'a pas été enlevé.

— Effectivement, je crois qu'il a disparu de la circulation de son plein gré.

— Et Bianca ?

— Je ne saurais me prononcer, mais je les ai trouvés bien complices, à la soirée de ta tante Moira. D'ailleurs, je parie que c'est elle qui a mis Derrick au courant de notre relation, puisqu'elle nous avait surpris en flagrant délit, à l'agence.

Dès qu'il sortit de la Buick, Ethan se précipita aux côtés de Claudia pour lui prendre la main. Cette fois, contrairement à ce qui s'était passé chez le thérapeute, elle ne le rejeta pas et il fut soulagé qu'elle accepte au moins ce petit soutien. Il se sentait tellement impuissant face aux tourments intérieurs qui la déchiraient.

Claudia le stupéfiait. Après avoir nié avec force l'éventuelle culpabilité de Derrick, elle avait tout de suite pensé, comme lui, que ce prétendu rapt n'était qu'une ultime mise en scène désespérée de la part de son frère pour échapper aux conséquences de ses actes. Finalement, songea Ethan, Derrick était parvenu à être premier dans un domaine : celui de la malhonnêteté.

La mère de Claudia devait guetter leur arrivée car avant même qu'ils ne sonnent, elle leur ouvrit la porte. Les trois femmes tombèrent dans les bras les unes des autres, cherchant à se réconforter mutuellement.

— Sal et Jean Conti sont là, leur annonça enfin Sandra Barone. Nicholas et ses parents, aussi.

— Je les entends d'ici, répondit Claudia.

Là-dessus, elle entra dans la maison, talonnée par Ethan.

— Non, ne me dites pas ce que je dois faire, disait Sal Conti avec véhémence. Dois-je vous rappeler qu'ils ont kidnappé ma fille ?

— Et mon fils ! compléta Paul Barone d'un ton furieux. Vous savez parfaitement que vous ne pouvez pas trouver dix millions de dollars d'ici à demain.

— Pourquoi refuser mon offre ? s'étonna Carlo. Encore une fois, je vous répète que je peux rassembler ces millions pour vous.

— Si vous, les Barone, payez pour ma fille, alors moi, je n'aurais plus qu'à la boucler ! Je vous connais ! s'écria Sal hors de lui.

— Monsieur Conti, intervint calmement Claudia, pourriez-vous cesser de crier ?

— J'ai des raisons pour élever la voix, se défendit celui-ci en se tournant vers elle.

— Vous savez, ça ne fera pas avancer les choses, observa-t-elle gentiment. Pourquoi refuser l'aide de mon oncle ? C'est plutôt généreux de sa part, il n'y a pas de quoi se mettre en colère.

— Vous connaissez pourtant votre oncle, marmonna Sal Conti. Il croit qu'il peut régenter tout le monde. Mon Dieu, et dire qu'ils ont ma fille, ma Bianca !

A cet instant, Claudia croisa le regard d'Ethan. Instantanément, ce dernier comprit qu'elle se posait la même question que lui : Bianca était-elle la victime ou la complice de Derrick Barone ?

Une question bien lancinante pour Ethan. Certes, il n'était plus épris de son ex-femme depuis longtemps, mais tout de même, ils avaient été mariés, il existait encore des liens — ne seraient-ce que les souvenirs des sentiments qui autrefois les avaient conduits jusqu'à l'autel. Aussi la conduite de Bianca ne lui était-elle pas totalement indifférente.

— Je comprends que vous ne souhaitiez pas que la situation vous échappe, enchaînait Claudia. Néanmoins, il ne sert à rien de s'énerver.

Se tournant vers son oncle, elle ajouta :

— Oncle Carlo, tu t'engages, n'est-ce pas, à traiter M. Conti comme un partenaire égal dans les discussions ?

— Oui, ce serait l'attitude la plus sage à adopter, approuva Moira Barone.

Sans prononcer un mot, Carlo hocha la tête en signe d'acquiescement. Puis, apercevant Ethan, il se dirigea vers lui :

— Monsieur Mallory, ravi de vous trouver ici ! Vous êtes l'homme de la situation, il me semble. Dites-moi votre prix !

— Il ne saurait être question d'argent entre nous, répondit froidement Ethan. Avez-vous appelé le FBI ?

— Non, pas la police ! trancha Paul Barone d'un ton sec. Les deux messages des ravisseurs concernant la rançon spécifient expressément de ne pas mêler la police à l'affaire. Ils menacent de tuer…

S'interrompant, il déglutit avec difficulté avant de conclure :

— Laissons la police en dehors de cette affaire !

— Monsieur Barone, reprenons les faits calmement, proposa Ethan avec diplomatie. D'abord, asseyons-nous confortablement pour mieux réfléchir. Claudia, pourrais-tu nous préparer du café ?

— Bien sûr, répondit cette dernière en allant donner des ordres en cuisine.

Au bout d'âpres discussions — et grâce au soutien actif de Claudia —, Ethan finit par convaincre les deux familles qu'elles devaient appeler le FBI. Ils convinrent également de demander un délai aux ravisseurs, en arguant qu'il leur fallait plus de temps que prévu pour rassembler la rançon exigée. Toutefois, Ethan se garda de leur révéler ce qu'il savait sur Derrick.

En attendant l'arrivée des agents du FBI, il se réfugia dans la cuisine pour appeler son oncle sur son portable. A cet instant, Claudia entra dans la pièce. Ethan lui jeta un regard presque méfiant tout en recommandant à son oncle d'être prudent. Puis il abrégea la conversation et éteignit son portable.

— Tu lui as demandé de vérifier du côté de Norblusky, n'est-ce pas ? demanda-t-elle la mine sombre.

— Oui, pour ne négliger aucune piste. Mais je doute que Norblusky soit impliqué d'une quelconque manière dans l'enlèvement après les aveux qu'il a faits à mon oncle.

— Merci de n'avoir rien dit de ce que nous savons sur Derrick. Sur ce qu'il a fait, et sur ce que nous le soupçonnons d'être en train de faire.

— On ne pourra pas leur cacher bien longtemps les faits, répondit Ethan d'un air découragé. Mais je crois qu'il est préférable d'attendre les agents du FBI et d'en informer ceux-ci en premier. Car à eux, il va falloir tout dire, Claudia, je suis désolé.

— Je sais.

Elle lui adressa alors un sourire triste, aux antipodes du sourire artificiel qu'elle arborait envers et contre tout pour faire croire que tout allait bien.

De toute évidence, avec lui, Claudia ne trichait plus.

— Ethan..., ajouta-t-elle, hésitante.

— Oui ? l'encouragea-t-il d'une voix rauque.

— Merci d'être ici.

A ces mots, le cœur d'Ethan se serra d'émotion, mais ce dernier n'eut pas le temps d'épiloguer car Shane venait de pénétrer brusquement dans la cuisine, interrompant leur tête-à-tête.

— Les agents du FBI viennent d'arriver et ils souhaitent vous parler à tous les deux, déclara-t-il d'un ton grave.

Philip Ringle était l'agent chargé de l'affaire. C'était un homme déterminé et digne de confiance. Il interrogea toutes les personnes présentes, puis demanda à s'entretenir en privé avec Ethan.

Il fallut une bonne heure à celui-ci pour communiquer à l'agent fédéral tout ce qu'il savait sur Derrick Barone. Ringle lui posa ensuite quelques questions et le remercia pour sa collaboration. Désormais, Ethan en avait fini avec l'enquête. Lorsqu'il ressortit de la bibliothèque où s'était déroulé l'entretien, il chercha vainement Claudia. Bon sang, où était-elle passée ? Pourquoi ne l'attendait-elle pas près de la bibliothèque ainsi qu'il l'avait naïvement espéré ?

Comme il questionnait Emily à son sujet, cette dernière lui répondit que sa sœur était vraisemblablement montée s'allonger un peu. Elle-même paraissait bien éprouvée. Il hésita. Devait-il rejoindre Claudia dans sa chambre ?

Une immense lassitude l'envahit alors tandis qu'une certitude s'imposait à lui : Claudia avait envie d'être seule, de ne plus subir sa présence. Et au fond, quoi de plus légitime ? pensa-t-il en enfilant son trench-coat. Il concevait qu'il lui faudrait du temps pour se remettre de tous ces événements. Elle seule savait, contrairement au reste de la famille, ce qu'avait fait Ethan dans la bibliothèque : il avait lancé le FBI sur les traces de Derrick, le fils de la famille ! Même si Claudia jugeait cette démarche raisonnable, inconsciemment, elle devait forcément lui en vouloir.

La température avait sacrément chuté, se dit-il en sortant de la maison. Le vent soufflait violemment, le ciel était encore plus gris que sa Buick. Il allait sans doute neiger. Morose, Ethan remonta son col et se dirigea vers sa voiture.

Et si Claudia ne voulait plus *jamais* le revoir ? se demanda-t-il soudain. A cette pensée, son cœur se serra douloureusement. Combien de temps faudrait-il à Claudia pour oublier qu'il était l'homme responsable de l'inévitable arrestation de son frère ?

Subitement, il s'immobilisa et la problématique lui apparut sous un autre jour : pourquoi, lui, fuyait-il ?

Même si elle l'évitait, Claudia avait besoin de lui. Il ne pouvait pas l'abandonner si lâchement ! Oui, elle avait forcément besoin de lui, se dit-il en faisant demi-tour. Sinon plus jamais cette terre ne serait un endroit où il faisait bon vivre.

Comme il poussait de nouveau les grilles du jardin, Claudia descendait quatre à quatre les escaliers du perron, ses cheveux couleur de miel volant sur ses épaules comme une bannière dorée soulevée par le vent.

— Ethan ! Attends !

— Il fait un froid terrible, tu es folle de sortir sans manteau, lui dit-il en arrivant à sa hauteur.

Retirant le sien, il l'en enveloppa tendrement.

— Au moins, moi, je ne suis pas nue, si tu vois ce que je veux dire, répondit-elle avec un petit sourire.

— Encore heureux ! dit-il.

Ils se jaugèrent du regard, durant quelques secondes, sans mot dire, puis elle murmura :

— Pourquoi ne me prends-tu pas dans tes bras ?

Sans répondre, il l'attira à lui et la serra longuement contre lui, indifférent au vent et aux premiers flocons de neige qui commençaient à tomber.

— J'ai eu tellement peur, Claudia, chuchota-t-il. Peur que tu ne veuilles plus me voir. Je t'ai cherchée partout, tout à l'heure, et puis Emily m'a dit que tu t'étais retirée dans ta chambre pour être seule.

— J'étais dans la salle de bains, expliqua-t-elle. Quand je suis redescendue, tu avais disparu.

Elle fit une pause, puis plongeant son regard clair et las dans le sien, elle demanda :

— As-tu vraiment cru que j'allais te tenir rigueur des crimes que Derrick a commis ? Je sais que je manque parfois de discernement, notamment en ce qui concerne le genre d'hommes qu'il me faut, mais je sais aussi reconnaître le bien du mal. Et toi, tu as agi comme il convenait d'agir.

— Tu ne m'en veux pas, c'est bien vrai ? Je sais que tu as le sens de la loyauté et de la famille, je comprendrais parfaitement si…

— Ma famille ne compte pas davantage que toi, Ethan. Je t'aime.

A ces mots, Ethan sentit son cœur bondir de joie et il resserra son étreinte.

— Moi aussi, mon amour, mais je te laisserai tout le temps nécessaire, ainsi que tu me l'as demandé. Je sais que nous n'avons pas grand-chose en commun et que ta famille ne sera pas ravie en apprenant que nous deux, c'est sérieux, mais je suis déterminé à t'épouser.

— Ma famille sera au contraire ravie. Notamment si, à cause de toi, je me mêle moins des affaires des uns et des autres. Et tu exagères quand tu affirmes que nous n'avons rien en commun. Au contraire, je trouve que nous nous ressemblons beaucoup. Tu es entêté, et tu veux toujours avoir raison. Comme moi. La famille représente une valeur essentielle pour toi. Pour moi aussi. Et tu ne peux jamais t'empêcher de prendre les commandes des opérations, ce qui là encore me rappelle quelqu'un…

Il n'avait jamais encore envisagé les choses sous cet angle-là, mais à la réflexion, elle n'avait pas tort… Fou de joie, il lui donna un long baiser, puis elle poursuivit :

— Nous emménagerons dans le sud de Boston dès que les travaux seront terminés chez toi. Et nous nous marierons à Noël.

Un tendre sourire illumina alors le visage d'Ethan. Décidément, Claudia était incorrigible. Elle ne pouvait s'empêcher de tout organiser. Mais en l'occurrence, il éleva son veto.

— Impossible, répliqua-t-il. L'appartement ne sera pas prêt avant l'été, et il est hors de question que nous attendions si longtemps pour vivre ensemble. Quant au mariage, Noël, c'est bien trop long ! Nous pourrions faire coïncider la crémaillère de notre futur nid et la date de notre mariage, qu'en dis-tu ?

— J'en dis que tu es un homme merveilleux et que je suis profondément heureuse de t'avoir rencontré, répondit-elle en le gratifiant d'un regard amoureux.

Dans les beaux yeux bleus de Claudia brillait l'espérance d'un bonheur conjugal parfait, et Ethan se promit de tout mettre en œuvre pour ne jamais décevoir cette enchanteresse au grand cœur. N'avaient-ils pas déjà prouver qu'ils formaient une équipe formidable, tous les deux ?

Tournez vite la page,
et découvrez,
en avant-première,
un extrait
du nouvel épisode
de la saga

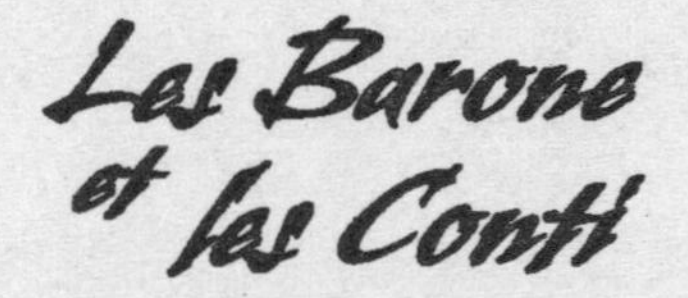

PASSIONNÉMENT ET POUR TOUJOURS,
de Metsy Hingle

A paraître le 1er décembre.

Extrait de : *Passionnément et pour toujours*
de Metsy Hingle

Sa chance venait de tourner : Steven l'avait retrouvée. Maria Barone n'aurait su dire pourquoi mais elle en était sûre. Le 4x4 stationné devant chez les Calderone appartenait à Steven.

Toute à ses pensées, elle se gara le long du trottoir saupoudré d'une fine pellicule de neige. Le ciel de décembre était gris et lourd, et les pins qui bordaient la route étaient blancs, mais elle le remarqua à peine, se préparant à la confrontation qui l'attendait. Parce que, cela ne faisait aucun doute, il allait y avoir affrontement.

Dès que sa cousine Karen lui avait téléphoné, quelques jours plus tôt, que Steven était à sa recherche, elle avait su que ce ne serait qu'une affaire de jours : même à Silver Valley, dans le fin fond du Montana où elle avait trouvé refuge, il finirait par la retrouver. C'était peut-être prémonitoire mais, dès son réveil ce matin, elle s'était sentie bizarre et cela n'avait rien à voir avec son état. Plutôt qu'à sa grossesse, elle avait attribué cette sensation étrange à une prémonition, comme si son sixième sens l'alertait de…

Ses retrouvailles avec Steven Conti. Steven qu'elle fuyait.

Sa voiture arrêtée près du 4x4 vide, elle resta assise au volant, songeuse. L'idée de redémarrer lui traversa l'esprit mais elle la balaya aussi vite. La lâcheté la dégoûtait, se rappela-t-elle avec fermeté. Et, jusqu'à présent, elle n'avait jamais contourné les obstacles. De toute façon, d'ici à deux ou trois mois, tout le monde, Steven y compris, aurait découvert son secret.

Avec la détermination qui la caractérisait si bien, elle coupa le moteur.

Elle allait faire face.

Rassemblant son courage, elle descendit de voiture, ouvrit la portière arrière pour prendre ses bagages et s'engagea sur l'allée fraîchement déblayée qui menait à la maison. Arrivée à la porte, elle inspira profondément — l'air qui lui emplit les poumons était glacial —, histoire de se donner un supplément de courage. Cela faisait des mois qu'elle savait que le jour viendrait où il faudrait qu'elle annonce à Steven qu'elle était enceinte et lui fasse part des plans qu'elle avait tirés sur la comète pour l'avenir de leur enfant. A dire vrai, en ce qui concernait le futur de leur enfant, elle n'était pas plus avancée qu'à son départ de Boston, deux mois plus tôt. La seule chose dont elle était certaine, c'était qu'elle aimait Steven et qu'elle aimait aussi sa famille. Et que, quelle que soit la décision qu'elle prendrait, soit Steven, soit sa famille en ferait les frais. Choisir c'était, à tout coup, perdre l'un ou l'autre. Ou, pire, les deux.

A cette pensée, elle ressentit un pincement au cœur et, pour la énième fois, se dit que le sort n'aurait pas pu lui jouer plus mauvais tour. Pourquoi avait-il fallu que cela lui arrive, à elle ? Qu'avait-elle fait au Bon Dieu pour que la fatalité s'abatte ainsi sur sa tête ? Enfin, il ne servait à rien d'ergoter, les faits étaient là. Elle était tombée amoureuse d'un Conti, le seul homme au monde avec lequel il était impensable d'envisager un avenir.

— Maudit passé ! maugréa-t-elle tout de même.

Les Conti et les Barone étaient des ennemis jurés. Ils l'étaient déjà bien avant sa naissance et celle de Steven. Et la guerre entre les clans, qui s'était déclarée quand Marco Barone avait convolé avec sa grand-mère au lieu d'épouser Lucia, la tante de Steven, était toujours aussi féroce que près de soixante-dix ans plus tôt. Depuis, des tonnes de malheurs s'étaient déversées sur la famille Barone et l'on pouvait se demander jusqu'à quel point les Conti ne lui avaient pas — réellement — jeté un mauvais sort.

La malédiction des Conti.

Maria sentit un brusque coup de froid lui glacer les os. Aujourd'hui encore, elle se rappelait comment, petite fille, agenouillée aux pieds de sa grand-mère assise dans sa bergère, elle restait des heures à écouter des histoires terribles sur la malédiction que leur avait promise les Conti. Elle avait encore à l'oreille la voix de sa Granny qui tentait d'expliquer…

Lucia a été affreusement fâchée et amère quand Marco et moi lui avons annoncé que nous étions mariés, racontait Angelica Barone comme si elle revivait la scène. Nous sommes allés chez les Conti pour plaider notre cause et les supplier de comprendre.

Comprendre ? Lucia avait failli s'étrangler de colère. Ce que je comprends c'est que tu nous as trahis, moi, mon frère et toute notre famille.

Mais nous nous aimons, avait plaidé Marco Barone. Je n'ai jamais eu l'intention de te faire du mal, Lucia.

Justement si, tu me fais du mal. Et pas seulement à moi. Tu nous blesses tous, moi et tous les Conti.

Plus tard, quand tu seras plus grande, tu comprendras peut-être et, ce jour-là, tu nous pardonneras et nous souhaiteras d'être heureux, avait ajouté Angelica.

Jamais je ne te pardonnerai, avait explosé Lucia. Et je te souhaite tout le malheur possible. Tu veux le fond de ma pensée ? Je te maudis. Tu t'es mariée le jour de la Saint-Valentin. J'espère qu'aussi longtemps que tu vivras, chaque Saint-Valentin sera un jour maléfique pour toi et ta descendance. Un jour de tristesse, aussi profonde que le désespoir dans lequel tu me plonges aujourd'hui.

Un an plus tard, jour pour jour, alors qu'ils fêtaient leur premier anniversaire de mariage, Angelica Barone perdait l'enfant qu'elle portait. Se rappelant sa grand-mère et la peine qu'elle avait lue dans ses yeux le jour où elle lui avait relaté sa fausse couche, Maria frissonna comme une feuille morte.

Machinalement, elle se caressa le ventre. C'était plus fort qu'elle : elle ne pouvait s'empêcher d'avoir peur pour ce bébé qu'elle portait et qui devait naître le jour de la Saint-Valentin. Steven avait eu beau lui répéter que les tragédies qui avaient touché sa famille n'étaient que simples coïncidences et que la malédiction des Conti n'était rien d'autre que de la superstition alimentée par des imaginations débridées, Maria était certaine du contraire. Elle n'en voulait pour preuve que l'année qui venait de s'écouler. Une malédiction planait sur sa famille — elle n'en démordrait pas — car le malheur que Lucia Conti avait appelé de tous ses vœux sur les Barone ne s'était jamais démenti.

Sans même s'en rendre compte, Maria se mordit la lèvre. L'année passée, les désastres avaient succédé aux désastres. Tout avait commencé peu après sa rencontre avec Steven. Il y avait d'abord eu, se souvint-elle, la sombre affaire de la glace aux fruits de la passion — le lancement avait été saboté —, survenue justement le jour de la Saint-Valentin, et qui leur avait valu une campagne de dénigrement dans la presse et une perte de revenus qui avait bien failli les mettre à genoux. Ensuite, un incendie mystérieux dans les locaux de l'usine — incendie dont sa cousine Emily était sortie amnésique. Peut-être plus terrible encore, il y avait eu le double enlèvement, son cousin Derrick et Bianca, la sœur de Steven.

Alors, si Steven balayait l'idée d'une malédiction, elle ne le pouvait pas. Et même... En admettant qu'elle puisse surmonter cette peur, elle ne se sentait pas le courage de se priver de sa famille. Et Steven ? Serait-il plus fort qu'elle et accepterait-il de se couper des siens ? Car, cela ne faisait aucun doute pour elle : sitôt qu'ils leur annonceraient leur intention de se marier, leurs deux familles les désavoueraient.

Cette pensée acheva de la désoler. Ayant grandi dans un cocon douillet, elle souhaitait le même bonheur pour son bébé. S'ils passaient outre les interdits familiaux, Steven et elle se condamnaient à ne plus revoir les leurs. En s'amputant ainsi d'une part d'eux-mêmes, ils privaient aussi leur bébé de la joie de connaître ses grands-parents, ses oncles, ses tantes et ses cousins. Avait-elle le droit, au nom de son bonheur à elle, de condamner son enfant à vivre comme un exclu ? Avait-elle le droit de l'engager, malgré lui, dans la guerre des clans entre les Barone et les Conti ?

C'était tout réfléchi. C'était non. Elle se l'interdisait. Pour le bonheur de son bébé, elle devait tenir bon. Etre forte. Elle allait devoir s'expliquer avec Steven et lui faire entendre raison. Il faudrait qu'elle réussisse à le convaincre qu'ils ne pouvaient pas envisager de faire leur vie ensemble, qu'ils feraient beaucoup trop de dégâts autour d'eux.

Chère lectrice,

Vous nous êtes fidèle depuis longtemps?
Vous venez de faire notre connaissance?

C'est pour votre plaisir que nous avons imaginé un rendez-vous chaque mois avec vos auteurs préférés, vos AUTEURS VEDETTE dans les collections Azur et Horizon.

Les AUTEURS VEDETTE vous donneront rendez-vous pour de nouveaux livres vedette.

Pour les reconnaître, cherchez l'étoile... Elle vous guidera!

Éditions Harlequin

LE FORUM DES LECTEURS ET LECTRICES

CHERS(ES) LECTEURS ET LECTRICES,

VOUS NOUS ETES FIDÈLES DEPUIS LONGTEMPS?

VOUS VENEZ DE FAIRE NOTRE CONNAISSANCE?

SI VOUS AVEZ DES COMMENTAIRES, DES CRITIQUES À FORMULER, DES SUGGESTIONS À OFFRIR, N'HÉSITEZ PAS… ÉCRIVEZ-NOUS À:

LES ENTERPRISES HARLEQUIN LTÉE.
498 RUE ODILE
FABREVILLE, LAVAL, QUÉBEC.
H7R 5X1

C'EST AVEC VOS PRÉCIEUX COMMENTAIRES QUE NOUS ALLONS POUVOIR MIEUX VOUS SERVIR.

DE PLUS, SI VOUS DÉSIREZ RECEVOIR UNE OU PLUSIEURS DE VOS SÉRIES HARLEQUIN PRÉFÉRÉE(S) À VOTRE DOMICILE, NE TARDEZ PAS À CONTACTER LE SERVICE D'ABONNEMENT; EN APPELANT AU (514) 875-4444 (RÉGION DE MONTRÉAL) OU 1-800-667-4444 (EXTÉRIEUR DE MONTRÉAL) OU TÉLÉCOPIEUR (514) 523-4444 OU COURRIER ELECTRONIQUE: AQCOURRIER@ABONNEMENT.QC.CA OU EN ÉCRIVANT À:

ABONNEMENT QUÉBEC
525 RUE LOUIS-PASTEUR
BOUCHERVILLE, QUÉBEC
J4B 8E7

MERCI, À L'AVANCE, DE VOTRE COOPÉRATION.

BONNE LECTURE.

HARLEQUIN.

VOTRE PASSEPORT POUR LE MONDE DE L'AMOUR.